リフレーミングの秘訣

東ゼミで学ぶ家族面接のエッセンス

東　豊

日本評論社

自然は芸術を模倣する――オスカー・ワイルド

はじめに

本書は、「人の心の変化」とそのための「効果的な関わり方」に関心をもつ人のために書かれている。主として医療・福祉・教育の関係者を念頭においているが、一般的な家庭において、子どものことや夫婦関係などで悩んでいる方々にもぜひ本書を手にしていただければと思っている。一回読んだだけで、少なくとも何度か繰り返し読めば、その家庭は状況が一変するのではないかと思うからである。

テーマはリフレーミングである。

リフレーミングとは、現象・事象に対する見方や理解の仕方に関する既存のフレーム（枠組み）を変化させることである。人のもっているフレームが変わることで、その感情や言動にも連鎖的に変化が生じる。それは家族や職場の人間関係にも影響するので、結果的にその人のおかれた環境も多かれ少なかれ変化するのである。

ごく簡単にいえば、ものの見方・意味づけの仕方を変えること。そして生活全般によい変化をもたらすシンプルな方法。それがリフレーミングである。

人間関係を通してのリフレーミングは、主として会話によってなされる。たとえば心理療法では、セラピスト（治療者）は周到な会話の運びによってクライエント（相談者）のフレームを変化させる。その意味で、リフレーミングとは会話の方法である。大技小技、いろいろある。

本書の目的は、単にリフレーミングの何たるかを説明しようとすることだけではない。読了後にリフレーミングが上手になっていること。それが狙いである。そのため、リフレーミングの心構えやちょっとしたコツを、様々な角度から盛り込んだ。

本書は第1部と第2部に分かれている。第1部が基礎知識編で、第2部が事例編である。第1部は慣れない人には少し難しいところもいくらかあるかもしれないが、第2部はずいぶん読みやすいはずである。

第1部では、「システムズアプローチ」と「P循環療法」の考え方について、できるだけ平易に述べた。メタ理論としてのシステムズアプローチの考え方を理解しておくと、リフレーミングの意義をしっかりつかんで利用できるようになる。適材適所でありながらも自由自在。そのようなリフレーミングが行えるようになるのである。また、第2章で説明するP循環・N循環という考え方を理解すると、それだけで読者の生活に大きな変化が生じるであろうが、リフレーミングの技術もまた飛躍的に向上することが期待できる。つまり、「相手に届くリフレーミング」ができるようになる。

第2部では、第3章から第6章まで各章に一事例を紹介し、各々の初回面接の模様をみることを通して、リフレーミングの諸相を理解してもらえるように工夫した。第3章は個人面接、第4章は母子合同面接、第5章は両親面接、第6章は両親・子ども合同面接といったように、バリエーションも豊富である。また、各事例紹介の後に関連する小論を述べ、さらに臨床心理学を学ぶ私のゼミの大学院生たちとのディスカッションを掲載することで、いっそう細かなニュアンスを伝えることができたと思う。大学院生の素直な疑問は、読者目線に比較的合致しているからである。

なお、紹介した事例は適宜事実を変えてあるが、リフレーミングを学ぶうえではとくに支障のない範囲である。

日常的にはたとえばこのような読書によって、誰にでもリフレーミングが自然発生的に生じるものである。本書を読んだ後のあなたは、「東豊の本を読むことで、私の中でリフレーミングが生じた。おかげで人への関わりが上手になった。人生も変わった」などというだろう（そうであってほしい）。リフレーミングは人生の可能性を広げる。読了後の、あなたの変貌が楽しみである。

リフレーミングの秘訣・目次

第1部
基礎知識編

第1章　システムとフレームの考え方

Ⅰ　現象を相互作用で理解する

■円環的なものの見方

本書の中心テーマであるリフレーミングは、**システムズアプローチ**と呼ばれる心理療法の主要技法のひとつです。したがってリフレーミングの話をする前にまず、システムズアプローチについて、「これだけは知っておくべし」といったポイントだけを、できるだけ簡単に述べておきたいと思います。

まず**システム**とは、「部分と部分が相互作用している全体」、あるいは「その相互作用のあり方（連鎖・パターン・ルール）」のことであると理解します。全体は部分に影響を与え、部分は全体に影響を与える。このようなものの見方を、**円環的思考法**と呼びます。

私たちは通常、「事象Ａは事象Ｂの原因である（事象Ｂは事象Ａの結果である）」というように、矢印が一方通行の考え方（A↓B）をする習性があります。これを**直線的思考法**といいます。これに対し円環的思考法とは、「事象Aは事象Bの原因でもあり、結果でもある（事象Bは事象Aの原因でもあり、結果でもある）」というように、双方向的な見方（A⇅B）をするものです。

たとえば身体としての人間は、様々な臓器（部分）が相互作用的に機能している全体としての存在です。それぞれの臓器を個別にいくらくわしく調べても、全体としての身体はみえてきません。部分と部分のつながり具合、相互作用のあり方を理解することが、全体を把握するためには必要になります。

また人間は、心（部分）と身体（部分）が相互作用し合っている全体でもあります。心と身体はそれぞれに独立しているわけではなく、両者が相互に影響し合いながら全体として機能しているので、一方だけをみて人間という存在を理解することはできないのです。これは、精神身体医学（心身医学）の考え方と同じです。心が変われば身体が変わり、身体が変われば心が変わる。これを心身相関、あるいは心身交互作用といいます。

あるいは家族といったものも、個人と個人が相互作用している全体です。これをとくに**家族システム**といいます。父親や母親、子どもといった家族の各構成員は、それぞれ独立した個でありながらも家族全体のあり方に影響を受けているし、同時に家族全体のあり方に影響をおよぼしてもいる。したがって、家族の中の誰か一人が変われば家族システムに変化が生じるし、家族システムが変われば個々の家族構成員にも変化が生じます。これは、家族の中の誰か一人が変わることで、他の誰かにも変化が生じるということを意味します。

さらに心理療法も、セラピストとクライエントが相互作用している全体であるといえます。これは、「治療（関係の）システム」と呼ばれます。面接室でクライエントから観察できることの多くは、そのクライエントに固有のものであるというよりは、セラピストとの相互作用の一断面であるとみてよいのです。したがって、たとえば長い期間にわたって「問題」が継続しているクライエントがいるとするなら、その「問題」はセラピストとの相互作用の産物であり、セラピストがあり方を変えることでクライエントの「問題」にも変化が生じるということになります。

■切り取り方には癖がある

ものごとは諸要素の円環的な相互作用によって成り立っているという視点に立つと、同じひとつの現象を、様々な形で表現し、意味づけることが可能になります。

たとえば、「母親の過保護のせいで、子どもが甘えん坊になった」と意味づけられている現象を、「子どもが甘えるせいで、母親が過保護になった」と表現し直すことが可能です。あるいは、「夫の帰宅が遅いせいで、妻が不満を言う」という現象を、「妻が不満を言うせいで、夫の帰宅が遅くなる」という表現に変えることができます。これはどちらかが正しくてどちらかが間違いというわけではなく、両方とも正しいのです。いずれの表現であっても、相互作用の一側面（矢印の一方）を強調したに過ぎないということです。

つまり、相互作用をどのように切り取るかによって、ものごとに対する意味づけは変わるのです。この〝切り取り〟を、**パンクチュエーション**（punctuation：句読点を打つこと）といいます。円環を、エイヤっと直線的に切ってしまうことです。

私たちが日常的に行っているものごとに対する意味づけは、パンクチュエーションの仕方を変えることで、まったく違う形に変化させることができるのです。にもかかわらず、私たちは、すでに自分が所持しているパンクチュエーションの癖にしたがってものごとを受け止め、意味づけながら毎日を生きていることが普通です。そして、その癖が強ければ強いほど、ワンパターンな形で意味づけをすることが多くなります。

これは、心理臨床の専門家であっても同じです。たとえば「親が原因→子どもが結果」といった矢印でパンクチュエーションを行う癖の強いセラピストは、実際に親子のやりとりを観察した時、「子どもは被害者、親は加害者」という受け止め方をすることが多くなるでしょう。この場合、「子どもが原因→親が結果」という矢印の存在はほとんど見向きもされません。

クライエントの側にも同じようなことが起きていて、「相手が原因→自分は結果」という矢印で相互作用を切り取る癖のある人は、「自分が原因→相手が結果」という矢印にはなかなか目が向きません。その結果、「自分は被害者である」といった受け止め方をすることになりがちです。

このように、パンクチュエーションの癖が強い人ほど、みえる現実が一面的になってしまうのです。人間には、自分のもっている癖の通りにしかものごとがみえない（みようとしない）という習性があるのかもしれません。

■フレームが見方を決める

さて、先ほどから何度も「受け止め方」「意味づけの仕方」と述べてきましたが、実はこれには小さなものから大きなものまで、かなり広範囲の認知機能が含まれています。

小さなことでいうなら、日常のちょっとした出来事、たとえば水が半分入ったコップを見て、「もう半分しかない」と意味づけるのか、「まだ半分もある」と意味づけるのか。大きなことでいえば、生きることや人間というものについて、あるいは人生の様々な問題や病気の意味等について、いかに受け止め、どのように語るのか。認知療法についての本であれば、こうした様々なレベルの認知機能を間違いなくキッチリと仕分けることでしょう。

しかし本書では、あえてそうした区別は行わず、個人がもっている価値観や意見、想念（心の中に浮かぶ考え）、思念（常に心に深く思っていること）など、それが言葉や行動を通して観察可能なものでありさえすれば、すべて「受け止め方・意味づけの仕方」と表現しうるものとして、ひとくくりにしてしまいたいと考えています。そしてここからは、そのようなものを**フレーム**（frame：枠あるいは枠組み）と呼びたいと思います。

私たち個々人のもつフレームによって、パンクチュエーションの仕方が決まり、出来事の見え方が決まります（逆に、パンクチュエーションによってフレームが決まるともいえます）。またフレームによって、感情や行動が決定される確率は大変高いと思われます（一〇〇％といわないのは、条件反射のような行動もあるため）。

個々人のフレームは、種々の人生経験を通して獲得されたり消去されたりするのが通常ですが、そうした人生経験の大きなひとつに、他者との会話、すなわちコミュニケーションがあります。コミュニケーションの相互作用によって、個人のもつフレームは形成・強化・弱化され、変化させられ、あるいは消去されていきます。

そのプロセスの中で、ある特定のフレームがその社会・時代に生きる多くの人々に共有され、社会的に拘束力をもつようになる場合もあります。「常識」「当たり前のこと」「真実」などと命名されているものがそれです。

しかし、それらが実は単なるフレームに過ぎないことは、たとえば先の大戦前後のわが国における〝世間常識〟の変化をみれば一目瞭然でしょう。心理臨床の世界においても、「精神分析的な考え方」が常識であった時代もあれば、最近のように「認知行動療法的な考え方」がブームになる時代もあり、やがて（本書のような）「システム論的な考え方」が広く受け入れられる時代もやってくるわけです。たぶん。

■治療のシステム

閑話休題。話が少々大きくなりすぎました。セラピストの仕事は社会改革や社会運動ではなく、目の前のクライエントを援助することです。

システムズアプローチは、先ほど述べた「部分と部分の相互作用（システム）が、各部分のあり方を規定する」というパンクチュエーションを第一義的に採用しています。そのため、システムズアプローチに基づいた心理療法では、ひとつの部分だけを扱うのではなく、相互作用のあり方を変えることが第一の目的となります。すなわち、セラピスト―クライエント間の相互作用（治療システム）を利用して、家族メンバー間の相互作用（家族システム）であったり、クライエントの心と身体の相互作用（心身交互作用）といったものに変化を与えようとするのです。

そのうえで、システムズアプローチは、「ひとつの部分がシステムを規定する」というパンクチュエーションを第二義的に採用します。

治療システムにおいては、まずは部分としてのセラピストが変わる（動く）ことで、クライエントとの間に治療的な相互作用を作り出し、その結果としてクライエントに変化が起こります。家族システムに介入する場合であれば、たとえばクライエントである母親に対して、セラピストがまず治療システムを介して影響を与え、それによって母親が変化すると、家庭内における母親と他の家族メンバーとの相互作用にも変化が生じ、結果的に「子どもの問題」などが形を変えるということが起こるのです。

心身交互作用に介入する場合も同じです。治療システムを通してセラピストがクライエントの心を変化させることで、クライエントの心と身体の相互作用に影響を与え、結果的に身体の症状がなくなることにつながるわけです。

このように、システムズアプローチとは、セラピストが狙って生起せしめるコミュニケーションの相互作用によって、様々な現象を生み出す方法であるといえます。システムズアプローチを専門とするセラピストは、自身が起点となるコミュニケーションの相互作用を使って、変化を作る職人なのです。

それでは、面接室において、セラピストとクライエントのコミュニケーションの相互作用によって変化するものとは一体何でしょうか。もちろん、何を重点的にみるかによって強調点は変わってくるわけですが、本書ではクライエントのもつフレームを大きく取り上げたいと思います。つまりクライエントの価値観やものの考え方、思うことや話す内容、このようなものです。

クライエントがすでに所持しているフレームを強化したり弱化したりする作業、あるいは変えてしまう作業、もしくは新しいフレームを形成する作業。こうしたことを行うのが、システムズアプローチであるという言い方もできるでしょう。そして、そのような作業を**リフレーミング**（reframing：再・枠組み作り／再・意味づけ）と呼ぶのです。

「ものごとは相互作用している全体（システム）である」という観点に立てば、個人のもっているフレームが変化することで、連鎖的に感情や行動にも変化が生じ、それがその人の身体や周囲の人間関係によい影響を及ぼすことが期待できる。彼（彼女）の家族が抱えている問題や症状が変化することさえ、期待できるということです。

Ⅱ　リフレーミングの考え方

■クライエントのフレームをみる

前述した通り、システムズアプローチを専門とするセラピストは、コミュニケーションの相互作用を使って様々な変化を作る職人です。ゴールとしては、クライエントの心身の変化であったり家族の変化であったりするのですが、多くの場合、その第一歩はクライエントのもつフレームを変化させることであるといえます。クライエントがすでに所持しているフレームを変える作業、それがリフレーミングです。セラピストは面接中、様々なレベルで、様々な方法を駆使してリフレーミングを行います。

またこれも前述のように、システムズアプローチでは円環的思考法を採用しています。ものごとは相互に影響し合っているのだから、一方を指して「原因」と名づけ、もう一方を指して「結果」と名づけることは、実に一面的な理解の仕方（直線的思考）である。実際はどちらもが原因であり結果であるのだと、このように考えるのです。

この思考法を受け入れると、原因と結果、あるいは被害者と加害者などを置き換えて考えることが可能になります。たとえば、「母親が口うるさいせいで、子どもが反抗的になった」というフレームを、「子どもが反抗的なせいで、母親が口うるさくなった」とリフレーミングする。あるいは、「夫が家事を何もしないせいで、妻がすべてやらないといけない」というフレームを、「妻が全部やってしまうせいで、夫は何もしない」とリフレーミングする、といった具合です。ものごとを円環的に考えるクライエントは普通いませんから、クライエントと逆方向にパンクチュエーションした現実をセラピストが提示することは、実に大きなリフレーミングとなります。

その際セラピストが、「母親と子どものどちらが本当の原因なのだろう」などと考えているようでは、リフレーミングの上達はうんと先の話になってしまうことでしょう。「当事者たちは、一体どのようなフレームをもっているのだろう」という点にこそ、まずは関心をもつことが重要です。

■ものは言いよう

リフレーミングの中でもよく知られているものに、**ポジティブ・リフレーミング**（positive reframing：肯定的意味づけ）があります。これは、クライエントのもつ否定的なフレームを、セラピストが肯定的な形に言い換えるものです。

「ものは言いよう」と一般にいわれるように、どのように否定的にみえることでも、その肯定的な側面を発見すること（引き出すこと）は容易です。たとえばあるクライエントが、「（母・妻である）私は病気で家事ができないので、夫や子どもたちにやらせてしまっているのです」と述べたとします。これに対しセラピストは、「それは病気ではなく、家事をしないことで夫と子どもの協力関係を作ろうとする、あなたの無意識の知恵なのです」とポジティブ・リフレーミングすることができるでしょう。あるいは、家族間のコミュニケーションにおいて、「父親と子どもが口論していると、母親が口を挟む。すると父親がトーン・ダウンし、今度は子どもと母親の口論が始まる」というパターンがみられたとします。この場合、これを「母親が父親と子どものコミュニケーションの形成を邪魔している」とみるのではなく、「母親が父親と子どもの関係を守っている」とポジティブ・リフレーミングすることができるわけです。

一方、初学者にはまったくお勧めしかねますが、ネガティブなリフレーミングを行うことも可能です。「よく世話をする母親」を「過保護な母親」、「子どもの自主性を重んじる父親」を「無責任な父親」といった具合に、クライエントの所持するフレームを、否定的なニュアンスに言い換えるものです。

この他に、ポジティブともネガティブとも区別のつきにくいリフレーミングもあります。「あなたの症状は心の問題です」「あなたの症状には幼少期の経験が関係しています」「あなたの症状は『条件づけ』で生じたのです」「あなたの症状は現在の家族関係の影響です」「あなたの症状は悪い虫がついたことが原因です」といったタイプのフレームを提示するリフレーミングです。

いずれのリフレーミングも、それがクライエントに入れば、クライエントの認知・感情・行動面での変化が大なり小なり期待できます。そして、その新しいフレームに基づいた「解決のための作業」が引き続き行われることになります。

ここで重要なのは、クライエントに「入れば」という部分です。もしうまく入らなければ、「このセラピストは自分の思いを理解してくれない」といったフレームがクライエントの中に形成されることになるでしょう。そして従前のフレームをいっそう強調したり、面接にこなくなってしまったりといった結果につながりかねません。

したがってセラピストは、クライエントのフレームにまずは合わせつつも、少しずつリフレーミングを試みていくことが大切になります。

■ジョイニング――もうひとつの基本技法

この「クライエントのフレームに合わせる」ための技法がジョイニング（joining）です。ジョイニングはリフレーミングと並んで、システムズアプローチに基づいた心理療法を行ううえでどうしても外せない技法といえます。

ジョイニングは、厳密には構造的家族療法を創始したS・ミニューチンの言葉ですが、広くシステムズアプローチにとってもきわめて重要な概念です。「参加する・とけ込む」ことを意味しますが、セラピストがクライエント（個人であれ家族であれ）とのコミュニケーションの相互作用を立ち上げ、維持していくために、そしてよき影響力をもち続けるために、欠かせない技法です。

「まずは相手の土俵に乗る」といった表現がありますが、これはジョイニングの精神をうまく言い表していると思います。具体的には、とりあえずクライエントの現状のフレームに沿ってコミュニケーションを展開すること。クライエントの話をよく聞いて、まずはそれを受け入れることです。これは、通常のカウンセリングの常識とも合致するでしょう。

家族合同面接であれば、家族の役割やコミュニケーションのパターンに適合するような動きをとることもジョイニングにつながります。たとえば、「両親が頼っている子どもに、同じタイミングでセラピストも頼る」ことや、「母親と子どもが気を遣っている父親に、同じタイミングでセラピストも気を遣う」といったことです。コンマ五秒の先取りでこれができると名人級ですが、とにかく現状の家族システムに沿って動こうとする姿勢をもつことが重要です。そのようなしっかりとした意識さえあれば、ジョイニングは少しの練習で誰にでもできるようになります。

なお、ジョイニングと外見的には似ているがまったく中身の異なるものが**巻き込まれ**(involvement)です。これは、セラピストが意図的にではなく、知らず知らずのうちに相手のフレームに引き込まれた状態をいいます。セラピスト自身が特定のフレームに縛られている時に、生じやすい現象です。

この場合、セラピストとクライエントのフレームが一致していると、見た目には共感性豊かなやりとりに見えますが、実際には「同病相憐れむ」の図であるといってよいでしょう。私はこれを「陽性の巻き込まれ」と呼んでいます。

また両者のフレームが一致していない場合には、対立的なやりとりになりがちです(これは、現象的にもジョイニングと異なって見えます）。私がいうところの「陰性の巻き込まれ」です。この場合、セラピストがクライエントと口論になったり、クライエントがセラピーからドロップ・アウトしたりといったことが生じやすくなります。

■小事例：リフレーミングの実際

それでは、ほんの一場面ではありますが、実際の面接におけるリフレーミングの様子をみてみましょう。

クライエントは三〇代の男性。奥さんとの関係で悩みがあるようです。

＊　＊　＊

セラピスト（以下Th）①：今日は、どんなことでお越しになりましたか？

クライエント（以下Cl）：私には妻とふたりの息子がいるのですが、実は妻がことあるごとにかんしゃくを起こすので、そのことで困っておりまして……。たとえばですね、食事の用意ができて、妻が家族を呼びますね。でも子どもは勉強していたり、テレビを観ていたり、私もちょっとのんびりしたいなあと思って、すぐに行かないことがあるんですが、そうするともう、ものすごく怒るんですよ。本当、お手上げです。

Th②：どんなふうに怒られるのですか？

Cl：言葉で責めまくるんですよ。すぐにこなかったことに対して、「食事が冷める」というようなことから始まって、「あんたはいつもそうだ」とか、「人の言うことを聞いてない」とかね。人間的なことまで責められるので、参ってしまうんですよ、私も子どもも。

Th③：大変な状況なんですね。

Cl：それで食事もできない雰囲気になってしまうことがたびたびなので、私も子どもたちも、妻と一緒にいるのがいやになってしまいまして……。

Th④：それで困っておられるのですねえ。

奥さんがかんしゃくを起こされた時、ご主人はどうしておられるのですか？

Cl：私ですか？　私はもう、言い返すことができないので、ただ聞いているだけなんですけど。それでも、延々と続くんですよ。彼女の中に溜まっている怒りとか、そういうドロドロしたものをぶちまけてくるんです。

Th⑤：それを聞いてあげているのですね？

Cl：そうなんですよ、一所懸命聞いているんですけどねえ、なかなか終わらない。

Th⑥：それはどれくらいの時間続くの？

Cl：最低三〇分は……。一度怒り出したら、三〇分は止まらないですね。

Th⑦：なるほど、三〇分ほど奥さんにカウンセリングをされているわけですね。

Cl：はい（笑）。

でもね、子どもが何か一言でも言い返したりすると、それに対してまた三〇分くらいかんしゃくが続くんですよ。上の子どもは、結構言い返すんですよねえ。

Th⑧：その時は、ご主人はどんなふうになさるの？

Cl：火に油を注ぐことになるので、子どもには「もう言い返すな」と言ってるんですけどね。

Th⑨：なるほど。子どもさんには「対処の仕方」を指導されているのですね。

Cl：効果はぼちぼちですけれどもね（笑）。

Th⑩：ところで、いつ頃から奥さんのかんしゃくは始まったのですか？

Cl：一年くらい前から、ちょっとひどくなったような感じですね。とくに私のしたことに対しては何もかも、とにかく文句を言ってくるんですよねえ。

Th⑪：ご主人のことが気になってしょうがないんですねえ。

Cl：（つっけんどんに）さあ、どうなんですかね。私のことが嫌いなんじゃないですかね……。

Th⑫：ご主人は、もともと相手の話をよく聞くタイプ？

Cl：そうですねえ。言い返すのは苦手だし、そもそもおしゃべりがあんまり得意じゃないので。

Th⑬：相手に何か言われたら、とにかく聞いてあげるという感じになりやすいのですね。

Cl：そうですね。どちらかというと、聞く立場のほうが多いですね。

Th⑭：それでその場を収める？

Cl：はい、だいたい、そうですね。

Th⑮：よい得意技をおもちなのですねえ。
Cl：そう言われるとちょっと嬉しいですけど（笑）、でもね、そうかもしれませんけども、逆に言うとね、言い返したいという気持ちも、実はすごくあるんですよ。
Th⑯：と、おっしゃると？……

＊　＊　＊

さて、以上のやりとりで、セラピストが「クライエントのフレームに合わせつつも、少しずつリフレーミングを試みている」様子が観察できたでしょうか。

■リフレーミングはコツコツと

先ほどの面接を、少しくわしくみていきます。

セラピストの発言①から④まで、すなわち「今日は、どんなことでお越しになりましたか?」「どんなふうに怒られるのですか?」「大変な状況なんですね」「それで困っておられるのですねえ」、この四つは、クライエントのもっているフレームに合わせようとしたものです。これにより、クライエントが所有しているフレームがますます明確になり、同時にジョイニングも進むことになります。

しかし④の後半、すなわち「奥さんがかんしゃくを起こされた時、ご主人はどうしておられるのですか?」という問いは、リフレーミングに向けての助走の質問であるといってよいでしょう。

一般的に、クライエントは「困難な状況・問題である」という既存のフレームについてはよく語りますが、それに対して自分がどのように対処しているかといったことについてはあまり語らないものです。そのためセラピストがこのような質問をすることは、「困難な状況・問題」という既存のフレームを、「対処可能な状況・問題」という新しいフレームにリフレーミングしていくための第一歩になるのです。少なくとも、セラピストがそのようなフレームを所持していることをクライエントに伝達することになるでしょう。

もちろん、クライエントが「どうしようもありません」などと打ちひしがれたような反応をみせるのであれば、その強度にもよりけりですが、ここはいったん引いたほうがいいかもしれません。**リフレーミングは焦ってはいけません。**

しかしこの場面では、クライエントは「話を聞いている」という対処法を述べました。一歩前進です。ただ、その後すぐに「それでも、延々と続くんですよ」と述べることで「対処は無効である」とのフレームを示し、さらに「彼女の中に溜まっている怒りとか、そういうドロドロしたものをぶちまけてくるんです」と述べることで、「困難な状況・問題」という持ち前のフレームを再提示しています。

しかしセラピストは⑤においては一歩も引かず、「それを聞いてあげているのですね?」と再度「対処可能な状況・問題」というリフレーミングに向けた取り組みを推進しています。これに対してクライエントは、「一所懸命聞いている」といったん乗ってきますが、それでもやはり、「なかなか終わらない」と否定的なフレームを再提示します。

セラピストはいったんこの否定的なフレームに乗り、⑥「それはどれくらいの時間続くの?」と問います。この時すでにセラピストの頭の中では、「クライエントは、奥さんの話を長い時間、一所懸命聞いてあげている」という肯定的なイメージを膨らませています。つまり、次のリフレーミングが準備されているわけです。ここは重要なポイントです。

クライエントは、「最低三〇分は……。一度怒り出したら、三〇分は止まらないですね」と、やはり否定的なフレームを提示します。しかしセラピストは⑦において、間髪入れず「なるほど、三〇分ほど奥さんにカウンセリングをされているわけですね」と（予定通りの）リフレーミングを行いました。この直後、これを受け入れたクライエントが初めて笑顔をみせたのです。カウンセリングを受けにきている人が家ではカウンセリングをしているという、ちょっとユーモラスな展開でもあったのでしょう。そしてこれは、「対処可能な状況・問題であるし、現在すでにそうしている」というリフレーミングに向けての重要な種まき（シーディング）ともなっています。

しかしすぐに、「でもね、子どもが何か一言でも言い返したりすると、それに対してまた三〇分くらいかんしゃくが続くんですよ。上の子どもは、結構言い返すんですよねえ」と再度否定的なフレームが提示されました。これに対してセラピストは、⑧「その時は、ご主人はどんなふうになさるの?」と「対処可能」というリフレーミングを目指した質問を再投入します。

クライエントは「火に油を注ぐことになるので、子どもには『もう言い返すな』と言ってるんですけどね」と答えます。これに対し、セラピストは⑨「なるほど。子どもさんには『対処の仕方』を指導されているのですね」と述べ、やはり「対処可能」というリフレーミングに向けたシーディングに積極的に取り組んでいます。

この後、クライエントは再び笑顔をみせながら、「効果はぼちぼち」と肯定的な反応を示します。ここでセラピストは、ひとまずこれ以上の深追いはせず、⑩「ところで、いつ頃から奥さんのかんしゃくは始まったのですか?」と別の質問をします。するとクライエントは、「とくに私のしたことに対しては何もかも、とにかく文句を言ってくるんですよねえ」と述べたので、セラピストは⑪において次のようにリフレーミングを試みます。「ご主人のことが気になってしょうがないんですねえ」。

しかし、このリフレーミングはまったく入りませんでした。クライエントはつっけんどんに「さあ、どうなんですかね。私のことが嫌いなんじゃないですかね」と述べ表情を硬くします。ピンチです。

「奥さん自身に関すること」へのリフレーミングは入りにくいようだと判断したセラピストはすぐにここから撤退し、⑫において「ご主人は、もともと相手の話をよく聞くタイプ?」と先のリフレーミング・ポイントに戻りました。そして、改めて「話を聞くことで対処している」ことが肯定的にやりとりされる中で、クライエントは、新しい対処法への意欲、変化への希望などを積極的に語るようになったのです。

このように、実に短い会話（相互作用）ではありますが、クライエントの持参した「困難な状況・問題」というフレームが、「対処可能な状況・問題」あるいは「きちんと対処ができるクライエント」というフレームへと徐々にリフレーミングされていったのです。

■できるだけ多くのフレームをもつ

リフレーミングが上手になるコツは何であるかとしばしば問われますが、そのひとつは、やはりセラピストができるだけたくさんのフレームをもっていることでしょう。

「○○はかくあるべきだ！」などという固定したフレームにとらわれていると、クライエントと同調しすぎるか、逆に大きな反発を受けることになり、クライエントのもつフレームへの巻き込まれが生じることになりがちです。特定のものの見方にこだわらず、「ものは言いよう」だと考えて、ひとつのものごとを様々な角度・立場から眺める。そして柔軟に見解を述べることができる自由闊達さを獲得することが、リフレーミングを行う者には求められます。

ひとつの価値観を固持する傾向のある人なら、その価値観からいったん離れてみる必要があるでしょう。ただし、気をつけなくてはいけないのは、**ある価値観から自由になるとは、その価値観を捨てることと同じではない**ということです。従前の価値観を忌み嫌い、排斥しようとする態度をもったのでは、また別の不自由さを手に入れただけのこと。特定の価値観からいったん離れた後で、またそれを（も）大切にできるようになることが、真に自由闊達になった姿なのです。

そのようにものごとを自由にみることができるようになれば、面接においても、時と場合に応じて「とりあえず、今はこのように言っておこう」といった対応がとれるようになります。それがクライエントのフレームに合わせる意識をもって行われたのであればジョイニングであるし、フレームを変える意識をもって行われたのであればリフレーミングであるということです。

これは一見すると、不誠実な態度のように思えるかもしれません。しかし、ある行動が誠実であるか不誠実であるかは、それを行う目的によるのです。他者から何かを搾取することを目的にして、今述べたような対応をとるのは詐欺師であり、利己主義者です。しかしセラピストの目的が「クライエントの成長や問題解決を援助すること」、つまり他者への貢献である以上、その実現のために方便を用いることがあったとしても、それは批判すべきことではないでしょう。

「方便」とは元来は仏教用語で、仏教を衆生にわかりやすく教え導くための巧みな手法を意味していました。同じように、社会的・道徳的に認められる目的のため、時と場合に応じて様々なフレームを利用することは間違ったことではありません。

そのように認めることができて初めてリフレーミングの意義や価値が理解できるし、それを堂々と行えるようになるのです。こうしたフレームをしっかり所持しておくことが、リフレーミングが上手になるための一番のコツかもしれません。迷いは手ぶれのもとです。

■まずはポジティブ・リフレーミングを

実際の面接においてどのようなリフレーミングを行うかは、セラピストの得意とする治療技法やそのときどきの状況に応じて変わってきますが、初学者にはやはりポジティブ・リフレーミングを多用することを強く勧めたいと思います。たいていの人は自分のことをネガティブに意味づけされると反発しますが、ポジティブに意味づけされて悪い気はしません。

それでもあえてネガティブな意味づけをする時というのは、私の場合であれば、（危機介入など）強引に変化を生もうとする時、あるいはクライエントの反発を利用しようとする時、あるいはクライエントと対立する誰かをセラピストの味方につけようとする時などでしょうか。すべては相互作用の変化のためですが、どちらにせよリスキーでもあるので、初学者はやめておいたほうが無難です。

とはいえ、セラピストの頭の中にはポジティブ・ネガティブどちらのフレームも抵抗なく存在させておくことが望ましいといえます。先ほども述べたように、「ポジティブにもネガティブにもいえるけど、とりあえずこちらで」といった方便感覚に基づいて行われるのが、リフレーミングの本質だからです。

「悪く考えるのはいやだ。何でもポジティブシンキングだ！」というのは、それもやはり不自由な態度の一形態であり、ひとつ間違えるとクライエントへの押しつけになりかねません。「ポジティブ病」にならないためにも、肯定・否定、両面からの現象理解を心がけることを、トレーニングの一環としてぜひともお勧めしたいと思います。

そのうえで、まずはポジティブ・リフレーミングが得意になるよう、ロールプレイなどで練習するとよいと思います。

第2章　P循環療法

I　誰にでもできるシステムズアプローチ

■リフレーミング上達の近道

システムズアプローチとはあくまで「考え方」であり、オリジナルな技法や典型的な進め方があるわけではありません。そのため、マニュアル化が難しいという性質があります。ジョイニングとリフレーミングだけはどうしても欠かせないことは前章で指摘しましたが、後は人によって、構造的家族療法、ＭＲＩ的家族療法、ブリーフセラピー的な個人療法、認知療法、行動療法など、それぞれの技法を駆使して従前の相互作用に変化を与えることに励むことになります。

私自身のオリジナルな技法として、〔付録〕で紹介する「虫退治」というアプローチをマニュアル化したこともありましたが、それもまあ家族療法の範囲内でのことであり、決して「虫退治」＝システムズアプローチというわけではありません。

ただ私は一〇年ほど前から、「〝誰にでもできるシステムズアプローチ〟といったものがあればいいなあ」という思いを抱いていました。別にマニュアル化にこだわっているわけではないのですが、臨床心理士を目指す大学院生のトレーニングのために、活用したいと思ったからです。

そんな折り、私が尊敬しているセラピストのひとりである濱田恭子さんと話す機会がありました。彼女は、「とにかく、クライエントさんを肯定することよ。セラピーはそれだけで十分」と言い切りました。私はその時はまだ「それだけで十分」とまでは思えなかったのですが、リフレーミングもまずはポジティブ・リフレーミングからであるとは常々思っていましたので、大筋のところではいたく共感したものです。

またその後、私はちょっとした病気になったのですが、その時の自己治療体験から、大変面白いことに気がつきました。経験の詳細を述べるとそれだけで一冊の本になりそうなので、ここでは結論だけいうと、①心の状態が身体や周囲の環境のありように大変強く影響するので、心の状態を変えるだけで身体や環境が変わること、そして②心の状態を変える方法が意外と、驚くほど簡単なものであること。この二点です。①は心身医学では当たり前の考え方なので、気がついたというのはちょっと大げさなのですが、これを単に知識としてではなく、個人的体験として深く実感することができました。そして②は、本当に目からウロコの体験でした。

このような体験から、私の中にひとつのシンプルな心理療法のアイデアがひらめきました。そして、それを臨床の基礎トレーニングに利用してはどうだろうかと考え、実践してみることにしたのです。すると大変嬉しいことに、当初期待していた以上に、そのアイデアは学生の臨床能力の向上に寄与することがわかりました。ついでにいうと、学生自身の幸福度も上がるように思われました（厳密に調査したわけではありませんが）。

また、いろいろとよい教育効果が得られたので、それを『セラピスト誕生』（二〇一〇）という本にまとめました。するとその本を読んだ学生や中堅の臨床家の臨床能力が、（本を読んだだけで）向上したといったいくつかの報告もありました。これは実に嬉しかった。

そこで私は、この方法を「P循環療法」と名づけたのです。私はこれを、どのようなタイプの心理療法を行うにしても、前提として身につけておいたほうがいい考え方ではないかと思っています。少なくとも家族療法やブリーフセラピーを行ううえでは間違いなく必要であり、本書のテーマであるリフレーミングを上手に行うためにも、必ず身につけておきたい方法だと思います。

そこで、本書でもやはりこのP循環療法についてくわしく論じることにしました。「はじめに」でも述べたように、本書は読者がリフレーミングを知識として獲得することだけではなく、読むだけでそれが上手に実践できるようになることを目指しているからです。

『セラピスト誕生』では迷った末にボツにした原稿もいくらかありましたが、あれからまた三年ほど経ち、さらに興味深い経験も重ね、今ではある種の確信めいたものが得られましたので、本書ではP循環療法に関して『誕生』には書かなかったこともいろいろと記すことにしました。

『誕生』未読者はもちろんのこと、既読の人も、かぶる話も多少ありますが、どうか飛ばさずにご一読ください。

P循環療法はそれ自体、誰にでもできる一番簡単なシステムズアプローチであると同時に、その考え方をいったん身につけると、相当複雑なリフレーミングであっても上手にできるようになるというものです。その意味で、P循環療法を学ぶことは、リフレーミング上達のための近道なのです。

■個人システムにおけるP循環とN循環

さて、以下に述べることはすべて仮説です。科学的には何の根拠もないことをご承知おきください。あくまでひとつのフレームではありますが、とても役に立ちますから、ぜひ活用していただきたいと思います。

まずは個人システムに関する単純な仮説から。

人の心の中には、大きく分けて**P要素**と**N要素**が存在します。Pはポジティブの P、Nはネガティブの Nです。

P要素とは、「愛」「受容」「思いやり」「勇気」「感謝」「喜び」「安心」「信頼」「自信」「幸福感」「自己肯定感」「利他心」などといったことです。N要素とは、「怒り」「不満」「妬み」「悲しみ」「傲慢」「不安」「恐怖」「憂うつ」「自信欠如」「不幸感」「自己（他者）否定」「利己心」などといったことです。

通常、人の心の中にはP要素とN要素が混在しており、時と場合によってそのバランス配分は変化します。

ここで、N要素が心の中の大きな割合を占める状態が頻繁であったり持続したりすると、「病気」「問題」「不運な出来事」などが現実の生活場面に現象化されるのであると仮定してみます。その場合、現象化されたところの「病気」「問題」「不運な出来事」は、翻って心のN要素を間違いなく強化しますので、心と現実の間に悪循環が形成されることになります。これを、**個人的N循環**（Personal Circulation Type N）と命名します。

一方、P要素が心の中の大部分を占めていると、「幸運な出来事」が生活場面に現象化されると仮定します。この場合、現象化されたところの「幸運な出来事」は翻って心のP要素を強化する可能性が高いので、心と現実の間に良循環が形成されることになります。これを、**個人的P循環**（Personal Circulation Type P）と命名します。

つまり、「病気」「問題」「不運な出来事」「幸運な出来事」などといったものは、心のあり方の現象化であると同時に、心のあり方を規定する要因でもあると考えるわけです。PであれNであれ、タネはタネの通りの実をならせる。善因善果・悪因悪果、蒔いたタネは刈り取らねばならないということです（こうしたことは、PだのNだのとはいわないけれども、ある方面では基本的なフレームなのではないでしょうか。「引き寄せの法則」や「波長同通の法則」、「三界は唯心の所現」などと表現されているようです）。

■対人システムにおけるP循環とN循環

次に、対人システムに関する単純な仮説も押さえておきましょう。

ある人の心の状態がP優勢であるかN優勢であるかは、多くの場合、言葉や態度等、外部に表出されるものによってわかります。たとえば腹を立てている人は、（よほど上手に隠すことができる人でない限り）どうしてもそれらしい立ち居振る舞いをするものです。

そうした振る舞いを目の当たりにした人は、場合によってはやはり腹を立てるかもしれません。しかし時には、愛の力でそれを包み込むかもしれません。いろいろな対人相互作用が展開する可能性がありえます。しかしどちらにせよ、個人の心の中のP要素やN要素がコミュニケーションの質に反映されていくことは間違いありません。

心のN状態が強い人同士が会話をすると、そのコミュニケーションにおいてもN循環が生じやすくなります。非難の応酬などがこれに該当するでしょう。これを、**対人的N循環**（Interpersonal Circulation Type N）と命名します。それはまた翻って、当事者たちの心のN要素（たとえば怒り）を強めることになります。

一方、心のP状態が強い人同士が会話すると、P循環が生じやすくなります。互いを認め合うことなどがこれに該当するでしょう。これを**対人的P循環**（Interpersonal Circulation Type P）と命名します。そしてそれはまた、当事者たちの心のP要素（たとえば思いやり）を強めることになる。すなわち、個人的P循環が拡大再生産されるのです。

いずれにせよ、「類は友を呼ぶ」といった形になりやすいということです。怒りは怒りを誘発し、思いやりは思いやりを誘発する。「人を呪わば穴ふたつ」「情けは人のためならず」といったことわざはこのあたりの事情を表現したものですが、誰もが家族関係や友人関係、職場の人間関係などで、すでに経験済みのことでしょう。

■心理療法におけるP循環とN循環

では、心がN状態の人とP状態の人とが会話した場合、どのようなことが起きるでしょうか。おそらく、当初はPとNが拮抗するコミュニケーションが発生することでしょう。しかし、もしも次第にPが優勢になってきたとすると、両者間に対人的P循環が形成される可能性が高くなります。すると、当初N状態であった人の心がP状態へと移行します。

仮説にしたがえば、それは何らかの「幸運な出来事」を現象化することにつながるので、それに気がつくことさえできれば、ここに新たに個人的P循環（心と現実のよい循環）が形成されることになります。これが確立されると、その人の心のP状態がロングタームで維持されやすくなる。心の中のP要素と環境的なP要素が、相互に強化的に循環するからです。〝運のいい人〟誕生です。

さてここで、「心がN状態の人」をクライエントとし、「心がP状態の人」をセラピストと考えてみましょう。

個人的N循環、あるいは家庭や職場等における対人的N循環の中で苦しんでいるクライエントを援助するためには、まずは面接室内での会話が、対人的P循環であることが求められます。

これが確立されると、クライエントの心の中に徐々に変化がみられるようになります。すなわち、NからPへの移行が起こるのです。それはクライエントの日常に「幸運な出来事」や「良好な対人関係」を現象化するので、心のP要素と環境的なP要素が相互強化的に循環し、クライエントの心のP状態が長期にわたって維持されやすくなります。

心理療法が成功するとは、まさにこのような状況を作り上げることではないでしょうか。つまり、少なくとも私にとって、**心理療法の究極の目的はクライエントの心の中や日常にP循環を形成することであり、「問題解決」や「症状の除去」はその一部分でしかない**のです。それらはP循環が形成された結果として、後からついてくるものであるということです。

もちろん実際の面接場面では、セラピストとクライエントが「問題解決」や「症状の除去」を表向きのゴールとして共有することは日常です。しかし、P循環セラピストの内心は、「問題解決」そのものではなく、面接室内におけるP循環の形成を第一義的な目標としているのです。

■Nを相手にしないこと

それでは、面接室内においてP循環を形成する方法を考えてみましょう。
その基本的な原則は、「クライエントから放出されるN要素（否定的な発言等）に関与しないこと」であるといえます。セラピストがクライエントから放出されるNを消そうとしてそのNをつかんでしまえばしまうほど（それに関与すればするほど）、ますますクライエントが放出するNに存在感を与えてしまい、かえってN循環を強化する危険性を高めてしまうからです。

平たくいうと、本気でクライエントや家族の「問題」を探したり、本気でクライエントを「問題の人」とみたりすることが、面接室内でのN循環の形成・維持につながってしまうということです。「本気で」と強調したのは、それが最終的なP循環形成に至るまでに必要なステップのひとつであるという意識がセラピストにあるのなら、あるいはリフレーミングのポイント探しといった意識があるのなら、もちろんその後の展開をうまく作れることが条件ではありますが、「問題探し」をすることもひとつの方便として受け入れることは可能であるからです。あるいは、面接開始当初はジョイニングとして、クライエントが放射するNに波長を合わせ、N循環にとりあえず巻き込まれておくといったことも、実際上はある程度（クライエントによってはそこそこ長時間）必要になってきます。

しかしセラピストは、クライエントからいろいろな形で放射されてくるN要素にひっかかって、それにとらわれてしまわないようくれぐれも気をつけなければなりません。Nを消すためにNに直接的に取り組むのではなく、Nはそのままにして、Pだけをみることでそれを膨らませる。そして結果的にNの存在感を減じさせる。このような意識をもった取り組みを行うことが大切であろうと思います。

P循環療法とはこのように、セラピスト－クライエント関係において対人的P循環を起こすことを目標として行うセラピーのことです。本書の第2部で紹介する面接の事例は、すべてベースにP循環療法があり、そのうえに様々なリフレーミングが展開されているからこそ、スムーズにセラピーが展開したのです。

Ⅱ　P循環セラピストの作り方

■セラピストはP循環の中にいるべし

クライエントとの間に対人的P循環を上手に形成できるようになるためには、まずはセラピスト自身ができる限り個人的P循環の中にいることが望まれます。そのようなセラピストには、クライエントやその家族のことを否定的にみることが、決して無理をしなくても、ほとんど起こりません。自然体でありながら、クライエントのN要素に心がとらわれることが生じにくいのです。

一方、クライエントや家族のもつP要素を発見することに関心が高く、一見N的にみえるものであっても、それを簡単にP的に言い換えることができます（すなわち、ポジティブ・リフレーミング上手）。したがって、よいP循環セラピストになるためには、まずは自分自身の個人的P循環を形成・維持しておくことが重要になります。

個人的P循環を作ること（心の中にP要素が豊かであり、日々の暮らしの中に幸運な出来事が多く現出すること）は、実はそれほど難しいことではありません。目の前のNをなんとかしようとして、自力的に奮闘する必要はないのです（それはかえって逆効果になることも多い）。Nはとりあえずそのままにして、一途にP循環を作る努力をする。しかもそれが他力的な方法であれば、ますます誰にでも容易なはずです。

以下に述べることは、必要があればクライエントに教えてもいいけれど、たぶん迂闊に教えないほうがいいと思うので、まずはセラピストであるあなた自身が試してごらんなさい。もしもあなたが現在何かの病気であったり、問題を抱えていたり、不運な出来事に次々に襲いかかられて毎日ムシャクシャした気分の中にいるようなら、しばらくの間に驚くような変化を実感できると思います。以下、簡単な順に紹介していきます（『セラピスト誕生』で紹介したものとは少し違います）。

■方法①　縦型の個人的P循環を起こす

「簡単な順に」といいましたが、方法①は実はかなり多くの人から強いアレルギー反応を示される可能性のある方法です。本当に簡単で効果抜群の方法なのですが、いやな人は本当にいやなようです。先般の日本ブリーフサイコセラピー学会（二〇一二年神戸大会）でその一部を話した時も、おおいに賛同してくれる人がいた一方、いくらかの人には後ずさりをされました。

縦型の個人的P循環とはどういうことか。この「縦型」というのは、普通の対人関係を横型（同じ次元）とした場合のたとえの表現です。同じ次元ではなく縦の次元、つまり、いわゆる「神様」と自分との間にP循環を起こすということです（引きましたか？）。「神様」に抵抗が強ければ「ご先祖様」でもいいし、「サムシング・グレート」でもかまいません（それでもやっぱり引きますすね？）。

神様と実際にコミュニケーションできる人は滅多にいませんから、これは決して対人的P循環ではなく、あくまで個人的P循環です。もちろん、何かの宗教に入信しましょうなどといった話ではありません。目的は、「いつでもどこでもP循環」を起こすことなのです。具体的な方法として、私個人の行っていることのいくつかを、一般的な言葉に置き換えて暴露してみましょう。

私は朝、目が覚めると、合掌して次のように（できれば声に出して）言います。「神様、新しい朝をありがとうございます。今日も一日、万事うまくいきます」。

他に、「神様、このクライエント（あるいは学生）のために私をお使いくださって、ありがとうございます」「神様、おかげさまで私は必ず○○が成し遂げられます。ありがとうございます」「神様、いつも必要なものを必要な時にお与えくださってありがとうございます」「神様、いつも健康をお与えくださいましてありがとうございます」「神様、おかげさまで○○がうまくいきました。ありがとうございます」。そして就寝前には、「神様、今日も大変よい一日をありがとうございました」。

何事につけ、「おかげさまで、ありがとう」と神様に感謝するわけです。もしも日常で何かの問題や心配な出来事が生じた場合でも、「神様、この心配な出来事がよいほうにいくよう、神様の御心にお任せいたします。ありがとうございます」「神様、今私の中に生じた怒りの感情は本当の私ではありませんので、神様にお預けいたします。お引き受けくださり、ありがとうございます」といった具合に、N要素に心がとらわれてしまうことを放逐する。そして必ずお礼を述べる。これぞ他力本願です。そうすることで、自力（我力）ではついついNを心につかみすぎることになってしまう、その弊害をブロックすることができるのです。

私は深い瞑想はまったくできませんが、自律訓練法（自己催眠法の一種）なら簡単にできるので、それを行ってからこうした「お祈り」をすることもあります。しかし多くの場合は、電車の中とか歩いている時とか、日常の何でもない時に、ちょっとした時間をみつけては心の中で（周囲に誰もいない時には声を出して）これらの言葉を繰り返しています。

ただし、文言にそれほどこだわる必要はありません。たとえば私の娘はキリスト教の学校に通っていますので、朝晩「父と子と聖霊の御名によって、アーメン。云々」とやっていますし、私自身は浄土系仏教徒なので「南無阿弥陀仏」とか「帰命無量寿如来、南無不可思議光」などと念じるほうがやはりピタッときます。日蓮系なら「南無妙法蓮華経」でしょう。おそらく一般的には、「神様」が一番言葉にしやすいのではないでしょうか。お正月に、初詣に行くような感覚でいいのです。初詣を、一日に何回もするということです。

気をつけなくてはいけないのは、「お金持ちになれますように」とか「恋人ができますように」といったお祈りの仕方は避けたほうがよいということです。これはあなたの利己的な欲ですから、N要素の放射になってしまいます。そうではなくて、「神様、いつも私に必要なだけの金銭や物、人をお与えくださいましてまことにありがとうございます」と、すでに与えられているものに感謝する表現がよいのです。「すでに与えられているものなんか何もない！」などとN的な気分に浸る人は、「毎日新鮮な空気をありがとうございます。おかげさまで毎日生きておりま す」と述べるといいでしょう。要は、P循環を起こそうとする意識が大切だということです。まずはこちらから先んじてPを与えること。それがP循環を起動する最大のコツなのです。

ただし、この方法には禁忌があります。それは、「神様は怖いもの」「罰を当てるもの」といった刷り込みがある場合です。そうしたフレームをもっている人が無理に「神様」に思いを向けてしまうと、「恐れ」などのN要素が充満することもあるでしょうから、そのような場合は適応でないと考えるべきです。それ以外にも、もしもあなたがこのような話に何らかの理由で強く抵抗を感じるタイプの人であるなら仕方ありません。

しかし、そこまでがんじがらめに自分を縛る理由がないのであれば、ぜひトライしていただけるとよろしいかと思います。ただし、妙にはまりすぎて、カルト宗教なんかに引っぱり込まれないよう、くれぐれも気をつけてください。そこまでの責任は負いかねますので。

■方法② 横型の個人的P循環をイメージで起こす

方法②は、一種のメンタルリハーサルです。「横型」というのは、普通の同次元の人間関係におけるP循環を意味します。

たとえば、誰か実在の人物と笑顔で会話しているような場面をイメージする。イメージの中で、その人のいいところをたくさん探してほめる。喜んでもらう。その人の笑顔を想像する。そして、「いつもありがとう」と心の底からお礼を言う。これも、「いつでもどこでもP循環」です。ただしイメージの中だけですので、やはりこれも対人的P循環ではなく個人的P循環です（私の知人の中には、電車に乗っている時は同乗者の幸福を祈り、歩いている時はすれ違う人の幸福を祈るという人がいます。ここまでくると、「ところかまわずP循環」です）。

ただ、実在の人物は先ほどの神様と違って、日常的生活においてはたまに「コンチクショウ」という時があるものです。そのような時は、その人の顔を思い浮かべるとついついN的な感情がわき起こってくることもあり、このイメージ作業が逆にN放射になる恐れもある。それゆえ、方法①よりも難しいといえるのです。

もちろん、いささかN的な思いを抱いてしまう相手に対してもよい方法はあります。たとえば、喧嘩中の人があれば、その人の顔を思い浮かべながら、「○○さん、ごめんなさい」「私を許してください」「私はあなたを許しました」「ありがとうございます」などといったキーワードをゆっくり心の中で繰り返すのです。私もたまに誰かに「ムカッ！」とした時には、間髪入れずこれをやるようにしています（あるいは神様にお任せしてしまいます）。それでも激しいN的な感情がムクムクと頭をもたげてきたら無理せずやめたほうがよいのですが、そこまでのことがなければ、最初は「嘘くさ！」と思いながらでもいいので、何度も続けてみることをお勧めします。続けているうちに、あなたの心の中にP要素が広がっていくはずです。

（仮説にしたがえば）P的な心は環境にP的な出来事を現象化させますので、ごく近いうちに、ちょっと不思議なことが生じるかもしれません。よく観察することです。ましてや、あなたが仲直りしたいと強く望む相手であるなら、それが利己的な動機からでない限り、よい出来事が大変たやすく現象化されることでしょう。

■方法③　簡単なP的行動を繰り返す

ここまでの方法はお祈りであるとかイメージであるとか、あくまで個人的P循環に直接影響を与える方法でしたが、方法③は対人的P循環を起こすことを目的にしたものです。それが結果的に、個人的P循環を生成・強化することになるわけです。

基本は笑顔とご挨拶、そしてここでもやはり「ありがとう」です。人のいいところをみつけるようにしましょう。その人をほめましょう。電車で座席をゆずりましょう。一日一善。人に喜んでもらいましょう。人に笑ってもらいましょう。ただし無理はしないこと。

方法③についてはこれだけです。とくに解説すべきこともありません。

さて、方法①から③まで、基本はたったこれだけです。どうです？　笑いましたか？　笑ったあなたはP満開。あきれたあなたはN満開。本当にどうもごめんなさい。

＊先日、私の話を聞いたある人が「あなたのやり方はこれに似ている」といって、ある本をくださいました。「ホ・オポノポノ」という、ハワイのスピリチュアルな方法に関する本でした。方法自体はたしかによく似ていると思われましたので、紹介しておきます。他にも、よく調べてみると、P循環を形成するのに適当な方法があちらこちらにあるように思えます。読者の皆さんもいろいろと発掘なさってみてください。

Ⅲ　P循環療法の進め方

■人の本質はPである

これまで述べたように、P循環セラピストに求められることは、セラピスト自身の心の中をできる限りP的な状態に保つことです。

そのうえで、クライエントから発せられるN要素にいったんはジョイニングすること（つまり意図的にN循環に入っていくこと）がセラピーの第一段階です。そして、できる限り早期に、P循環に切り替えるための工夫に満ちたコミュニケーションを発動すること。これが第二段階です。クライエントから語られる話の内容が何であれ、そのようなことを繰り返す中で、クライエントの心の状態がN優勢からP優勢へと変わり、その結果として症状や問題が消失していくと考えるのです。

繰り返しますが、セラピストは、クライエントの症状の除去や「問題」の解決にこだわってはいけません。当初はPとNが拮抗した状態でコミュニケーションがスタートしたとしても、セラピストがクライエントから放射されるNに本気でこだわったのでは、症状・問題はいよいよ勢力を拡大していくことでしょう。そしてクライエントもセラピストも、ますますそれにとらわれて焦ってしまう。セラピストがクライエントと同じように症状や問題というNをつかんで離さないようでは、クライエントのNに巻き込まれ、セラピスト―クライエント関係はすぐにN循環になってしまいます。

その代表的な現れは、セラピストがクライエントを「問題の人」とみるようになることです。場合によっては、セラピストがクライエントを批判することさえある（逆もまたしかりです）。そしてますます「病気や問題」「不幸な出来事」が現象化する（注目される、あるいは視界に入る）、といったことが生じるわけです。これは、典型的な治療失敗のパターンであるといえるでしょう。

実は、このようなことを起こさないためのちょっとしたコツがあります。それは、**クライエントはP要素の固まりであり、クライエントの中にN要素はまったくないと考える**ことです。

ここまで人の心の中にはPとNがあると述べてきたのに、突然矛盾したことをいうと思われるかもしれませんが、そうではありません。つまり、人にはPもNもたしかにあるのだけれども、「人の中に本質的に内在しているのはPのみである。Nは、あくまで外側に貼りついているだけである」という見方を提言しているのです。

Pを太陽とするなら、Nはその周りにある雲のようなものだと考えるわけです。太陽が雲に隠されてどんよりとみえるとしても、その本質はあくまでも光り輝いているのであって、雲は太陽の一部ですらない。やがて風が吹いて雲が飛ばされれば、必ず光り輝く本質が現れるのだと、そのような確信をもってクライエントをみるのです。

このような見方がセラピストの中にしっかり根づきますと、クライエントの症状や問題、欠点などに目を奪われることがなくなります。それらは、有って、無いのです。それだけでなく、どのようなクライエントのN的な言動にもひっかからなくなります。クライエントの本質はPなので、N的な言動は全部偽物であるとみえるようになるからです。その結果、セラピスト側のN的な感情が誘発されることも格段に少なくなるでしょう。

■P循環療法の進め方　基本編

さて、ここまではいささか硬い精神論。ここからは具体的な技術論に入ります。

P循環セラピストの基本的なテクニックの第一は、相手の話をよく聞くことです。

面接開始当初は、たいていの場合、クライエントからN的な言葉が出てきます。セラピストは、とりあえずそれに耳を傾けます。ジョイニングとして、N循環にいったん参入するわけです。ただし、ここが大事なところですが、「相づち」や「オウム返し」などの応答は比較的小さめにしておきます。

しかし、そのようなクライエントの話の中にも、P的な発言が時に出てくることがあります。セラピストはそれを逃さず、今度は比較的大きめに（豊かに）「相づち」や「オウム返し」を行うのです。N要素とP要素への反応の大きさを、（わざとらしくならない程度に）変えるということです。

そのためには、P要素をキャッチするアンテナをしっかり立てておくことが肝要です。これが上手にできるようになりますと、まるでセラピストの大きな反応に吸い寄せられたかのように、クライエントからP的な発言が頻出するようになります。

この基本テクニックが身についたら、第二に「P要素を引き出す質問」を練習します。有効な方法として、ソリューション・フォーカスト・アプローチで知られている「例外の質問」や「ミラクル・クエスチョン」「コーピング・クエスチョン」「スケーリング・クエスチョン」などが挙げられます（くわしくは、ピーター・ディヤング、インスー・キム・バーグ〔桐田弘江他訳〕『解決のための面接技法―ソリューション・フォーカスト・アプローチの手引き』金剛出版、を参考にしてください）。これらの質問へのクライエントの反応はP的であることが多いので、セラピストはそれに豊かに反応し、さらに関連質問を繰り返す。このやりとりが、P循環の形成につながるのです。

三つ目の効果的なテクニックは、前章でも述べたポジティブ・リフレーミングです。クライエントから発せられたN要素を、P要素に置き換える作業です。これを単発ではなく、面接中全般にわたって行っていきます。もちろん、セラピストの独りよがりになってはいけません。クライエントの反応をキャッチする能力がセラピストにないと、ただの「押しつけ」になってしまいます。しかしこれがうまく入ると、間違いなく面接室内に対人的P循環が生起することでしょう。

以上述べた「基本的な話の聞き方」「P要素を引き出す質問」「ポジティブ・リフレーミング」の三点セットで、P循環療法は誰でも行うことができます。原則的に非指示的な方法なので、習得もさほど困難ではありません。大学院生レベルでも、実に巧みに行えるようになります。

■P循環療法の進め方　ちょっと応用編

「誰にでもできる」という意味では、ここまで述べた基本だけで十分なのですが、クライエントの話を聞くだけでなく、もっと積極的に関与したいしその能力もあると自負する人のために、少し難しくはなりますが、指示的な側面の強いP循環療法についても述べておきたいと思います。

これは、クライエントに「課題・宿題」を提示し、それを実行させることで、クライエントの日常にP循環を生起せしめようとするものです。

さてその方法は……。それは、イメージを使って個人的P循環を起こす方法をクライエントに実践してもらうことです。すみません、先に紹介した方法②と同じことです。

「P循環セラピストの作り方」として紹介した三つの方法のうち、方法①は、よほどクライエントの志向性に一致すれば別ですが、宗教性が強いので原則的には心理療法で提案すべきタイプの方法ではないでしょう。方法③は、クライエントの個性や現状に応じた指示が可能ですが、個別性が強すぎてマニュアル化は困難です。クライエントにも比較的気軽に提案できてマニュアル化が可能なのは、方法②なのです。

たとえば、誰かと笑顔で会話しているような場面をイメージするようにクライエントに提案する。家族でもペットでも、友人でも職場の同僚でも誰でもかまわないのですが、まずはすでに関係のよい人、あるいは中立的な人を対象に選ぶのがよかろうと思います。もちろん、イメージ中に言葉かけをともなうほうがベターです。「ありがとうございます」「愛しています」「大好きです」などといった言葉を用いるのがよいでしょう。

慣れてきたら、苦手な人や仲の悪い人をイメージして行うよう指示します。喧嘩中の人があれば、その人と仲直りしている様子をイメージしてもらう。ともなう言葉としては、「ごめんなさい」「私を許してください」「あなたを許します」「ありがとうございます」などが適確です。これも、すでに述べた通りです。

あらかじめ嫌いな人・苦手な人のランキングを作って、比較的順位の低い人から順番に始めるという方法もあります。自律訓練法を指導して、リラクセーション下で行ってもらうのもよいでしょう。

ただし、これは対人恐怖症の治療法ではありません。あくまでクライエントの心の中で、P要素を膨らませることが目的です。これがうまく進むと、現象面でもP的な事象があれこれ現出してきます。その影響によりクライエントの心のP要素がいっそう膨らむ。すると、ますます現象面でP要素が現出する。このような、心と現象のよき相互作用が生じます。つまり、クライエントの個人的P循環がしっかりと形成されるということです。

もちろんその背景としては、治療関係としての対人P循環が形成済みであることが必要不可欠です。基本あっての応用です。

具体的には、次の第3章で紹介されている過食症の女性の事例が参考になるでしょう。

次章でくわしく解説しますが、この事例では、クライエントは父親・弟との間にN循環を形成していました。セラピストは、クライエントと父親・弟を直接的に関わらせるのではなく、クライエントの心の中にある父親・弟へのN的な思いを対象にリフレーミングを行い、毎朝晩父と弟に対するP的な言葉を唱えることをクライエントに提案したのです。その目的は、クライエントが心の中の父親・弟を相手にP循環を起こすことであったわけです。

このような場合、唱える言葉には確定的な言い回しを利用することが効果的です。つまり、「私はお父さんを許したい」よりも「私はお父さんを許します」がよい。さらにいえば、「私はお父さんを許しました」がいっそうよいということです。

ただし、このような課題・宿題の提示に興味をもったとしても、やはり軽々には真似しないほうがよいでしょう。「ちょっとおかしいセラピスト」なんていう評判が立っても、責任はとりかねますので。

繰り返しますが、まずは非指示的P循環療法をしっかり習得すべきです。先述した「基本的な話の聞き方」「P要素を引き出す質問」「ポジティブ・リフレーミング」の三点セットです。これだけでも相当多くのクライエントに貢献できるうえに、このような非指示的P循環療法の基礎があれば、他の様々な取り組み、たとえば家族療法や認知行動療法を行ううえでも、その成功率は飛躍的に高くなると思われるからです。

これは、本書の主題であるリフレーミングを行うにあたっても同様です。その意味で、やはりすべてのリフレーミングの中でポジティブ・リフレーミングが基本中の基本なのです。まずは、ポジティブ・リフレーミングから始めようではありませんか。

〔付録〕虫退治

「虫退治」とは、私が九州大学心療内科時代に初めて考案し、以来様々なケースで活用してきた方法である。第2部でしばしば言及しているため、参考としてあるケースの概要をここに掲載する。よりくわしく知りたい向きは、『セラピストの技法』もしくは『家族療法の秘訣』(いずれも日本評論社)を参照されたい。

「ご紹介します太郎君は現在中学二年生ですが、約一年前より学校を休んでいます。その原因として、中学入学直後から腹痛と下痢が始まりました。そこで過敏性腸症候群との診断で薬物治療と食事指導を行ったのですが、症状が軽快しても登校の意欲をみせず、行動療法的に少しずつ登校を促すと、また症状が再燃するといった具合です。しかし本人は再登校ができるようになることを強く望んでいます(主治医)」

その太郎は年齢よりもずいぶん幼くみえ、無口で、ほとんど会話ははずまない。しかし、愛想のよい笑顔を初対面のセラピストにも向けてくれる。隣の母親はやつれた表情。

冒頭、セラピストはときどき太郎に同意を求めつつ、母親の心配を真剣に拝聴した。太郎のいやなことから逃げようとする性格のこと、最近互いに口をきかない太郎と父親の関係のことなど、問題点の羅列。暗い雰囲気。

だからこそ、セラピストは隙があれば二人を笑わそうと目論み、ツッコむ。そして、ちょっと雰囲気が柔らかくなったところで、話題を変える。

セラピストは、以前より少しでも改善している点は何かと質問した。また、困難な時期を太郎や両親がここまでよく乗り切ってきたと感心し、どんな努力が効果的だったのかと問うた。母親はよくセラピストのペースに乗ってくれ、面接の雰囲気は次第に明るくなってきた。頃合いをみてセラピストは、太郎と母親のこれまでの労をねぎらい、努力をほめた。そして、解決の近いことを匂わせた。さらに、学校に行けない特殊な事情（いじめなど）のないことを太郎に確認したうえで、早期再登校を目的とした面接を行うことを約束した。

二人は十分乗っているとセラピストには感じ取れた。そこで、セラピストはひとつ条件を示した。それは、解決の協力者として父親にも面接に参加してもらうことである（毎回というわけではない）。すると、母親はその場で父親の職場に電話し、一週間後に太郎と両親が面接にくることが決まったのである。

＊

父親が太郎のことで病院にくるのは初めてのことである。小太りで、太郎以上に無口な人。「がんばって学校に行けと言っているけど、言うとよけいに行けなくなるようです」と父親は嘆く。母親は大きくうなずく。

「登校をめぐって太郎と母親のいさかいが絶えないのも困ったものです」。そう言う父親に、母親は恨めしそうな視線を送った。

セラピストは父親の心配と苦労を拝聴し、いくらかのヨイショとユーモアで雰囲気を変えた後、本題に入った。

「短期間で登校できる方法があるんですけど、やってみます?」

当然のように、三人は関心を示す。

「ただし、その方法が効果をあげるためにはひとつ条件があるんですけど……」

三人は、緊張する。

「……というのは、これは世間一般によくあることなんですが、子どもがこうした状態になると、すぐに親の子育ての失敗とか、親子や夫婦などの家族関係が問題だとか、そうでなければ、子どもの性格や心理的なものに問題があるなどとすぐに考えてしまう、これが大変具合が悪い。こうしたことは実はこの問題とは何の関係もないんですよね。だから皆さんが、もし少しでもそう考えているのなら、そんなバカバカしいことはさっさと忘れていただくこと。これが条件です。そのうえで方法をお話ししたい」

三人とも驚いたようにみえた。

「今まで、この子の精神力が弱いのではないかとか、しつけの失敗だったのではとか、夫婦喧嘩が多いからとか、いろいろ悩んできたんですけど、関係ないんですか?」と母親。

「ええ、まったく。だって太郎君はいい子でしょ? いつも愛想のいい表情をしてくれるじゃないですか」。セラピストが太郎を見ると、太郎はニコッと笑った。

「ほらね」。セラピストの指摘に母親が笑った。

「それにご両親も心配して、ちゃんと治療にきてくれる。普通ですよ。そりゃ、アラ探しをしたらどんな家庭にも何かありますよ」

「そうですよね。ほんと、そう思います」。父親が身を乗り出した。

「そしたら、どうしてこんなことに……」。母親が不思議がった。

「それをお話しする前に、とにかく、私の言うことを信じて、今の条件を守っていただけますか? それを約束してください」

三人は大きくうなずいた。

「ありがとうございます。では、いよいよ本題。そこで、ちょっと太郎君に聞きたいんだけど……」。セラピストは太郎に向かい合い、太郎の視線と同じ高さまで背中を丸めた。

「……あのね、本心、学校に行きたいでしょ?」

「うん」

「でも長い間学校を休んでいると、正直なところ、ちょっと面倒くさいとも思わない?」

「うん」。太郎はますます愛想のいい笑みを浮かべた。

「本当は学校に行きたいのに、面倒くさい気持ちもちょっとある、不思議だよね」

「うん」。太郎は少し真顔になった。

「実はね、怠け虫が君にとりついたんだよ……。目には見えない怠け虫という奴がいてね、誰にでもとりついてやろうといつも皆をねらっている。そして、いったんそいつが住みつくと、その人の中でどんどん増えていくのさ。わかるかい。君はひとつも悪くない。悪いのは全部怠け虫なんだ。君が怠け者じゃないんだよ」

「うん」

「だから、そいつを君の中から追い出すの。君とご両親と僕が協力して、そいつをやっつけるの。心配しなくても、とてもいい方法がある。やってみる?」

「うん」

セラピストは両親にも怠け虫の説明を行った。そして両親も十分に「怠け虫理論（?）」を受け入れてくれたことを確かめた後、以下に示すように怠け虫退治の方法を提示した。


〈怠け虫退治の方法〉

①昼のうちに、母親と太郎の二人で、紙に人型を描いて切り抜き、その中央に円を、さらにその中に「怠け虫」と書き込んだものを用意する。夜、父親が帰宅後、その人型の周りに皆が正座して、太郎、父親、母親の順番に、「太郎の怠け虫、出ていけ！」と、大

声で怒鳴って中央の円を叩く。それを三周。その後、三人でそれを家の庭に持っていって燃やしてしまう。そして翌日、また同じ人型を作り、三人で同様に繰り返す（実際は太郎の姉も加わった）。

②怠け虫がどれくらい弱ってきたか測定するために、太郎には一週間単位で行動目標を作ってもらい、その結果を記録する。もしも怠け虫が太郎を負かした日は、怠け虫が喜ぶようなエサをやらないようにする。そのエサについては両親が考える。

こうして太郎は行動目標として、一週間毎日、症状があってもなくても、校門まで行くことを決めた。両親は、怠け虫が勝った日は、太郎にゲームを禁止して怠け虫にゲームを楽しませないことを決めた。

「太郎君……」。にぎやかなやりとりが一息ついて、セラピストは声を落とした。

「うん？」

「たぶん今、君の中にいる怠け虫は、えらいことになったとビビってるよ」

「うん、そんな気がする」。太郎は愛想よく笑った。

＊

一週間後の面接（母子のみ）、母親が喜んで報告した。

「水曜を除いて毎日校舎まで登校できた。腹痛も不思議なくらいなかった。少しあっても、いつまでも訴えない。スーッと止まる感じ。朝、食事もとれるようになった」

太郎も調子のいいことを認めた。

セラピストは、「怠け虫が必ず反撃してくるはずだから、くれぐれも油断しないように」と強調し、太郎に新しい目標を作るよう指示した。

その一週間後（母子のみ）、太郎がいっそう進歩したと報告された。そして、太郎はいきいきと次の新しい目標を設定した。母親は驚くばかりだった。

ところがその一週間後である（母子のみ）。

「怠け虫の反撃が出ました」と、母親は少しがっかりした様子で報告した。太郎も明らかに元気がない。

セラピストはできるだけ平然と、「これは予想通りの怠け虫の反撃であり、これからが勝負どころである」と二人を励まし、太郎の目標を少し低めに設定し直すように提案した。そのうえで、次回も怠け虫の反撃が執拗である場合は、再度の父親の面接への参加を要請したのである。

そしてその一週間後、結局セラピストは父親と再会することとなった。怠け虫は先週よりも一段と反撃の手を強めており、太郎の目標はほとんど達成されなかったのである。

面接は、怠け虫の反撃への対応について、セラピストの司会のもと、太郎と両親が考えるという設定。そこでは、次のような話題が三人に合意されるに至った。

「太郎にちょうど怠け虫がとりついた頃より、太郎は父親を避けるようになった。これは怠け虫が父親を何より怖がっている証拠であり、父親こそが怠け虫退治のキーマンである」

そして面接の終盤、セラピストは父親に、怠け虫退治の隊長としてどのような作戦を決定するかと決断を迫った。そう、ここまではゲーム的な面白さがあった。ところが……。

「私が毎朝怠け虫と対決しましょう」と父親がきっぱり。一瞬、母親も太郎もセラピストも沈黙。その迫力に圧倒されたのである。セラピストは通常こういう場合、「怠け虫になめられないためにも、やるからには負けないように」などと至らぬ説教をすることが多いが、この父親にはそんな失礼なことは申し上げられない雰囲気があった。セラピストはせいぜい母親と太郎の賛意を確認するにとどまった（ところで、セラピストが父親に会ったのは、これが最後である）。

そして、セラピストの都合による二週間後の面接（母子のみ）。太郎も母親も大変明るい。

「前回の面接の三日後、怠け虫の反撃があり、約束どおり父親が対決、大騒動となったが、太郎は泣く泣く登校。しかしその後、嘘のように快調に連日登校が可能となり、教室に入れるようにもなった。明日より普通登校を計画している。身体症状は皆無である。怠け虫は完全に追い出されたようだ。父親も大変満足している」との報告があった。

セラピストは大変嬉しく思いながらも、「怠け虫はいったん死んだふりをするのがうまい。

皆が油断した頃にまた暴れ出して周囲を落胆させるのが上手。大反撃があっても、くれぐれも、やっぱりダメだと思わないこと」と釘をさした。

しかしそれから約一年、怠け虫はまだ生き返ってくる様子はない。怠け虫退散後の太郎は不登校前よりはるかにしっかりしてきたと、母親は評価する。なお、怠け虫退治の儀式は、太郎が登校開始してからも、安心できるまでしばらくは続けられたそうである。

さらに後日、太郎の母親に、このセラピーの何が効果的だったかと尋ねてみた。母親は「それは、怠け虫の説明のおかげで皆が太郎自身を怠け者とみなくなったことに尽きる。その結果、親と太郎との間のもめごとが激減したし、何より、太郎自身がやる気を出して怠け虫退治をがんばってくれた」と答えた。まさにエッセンスである。

外部に悪者をこしらえることで、それまでの「太郎vs.親」という構造が「怠け虫vs.太郎と親」という構造に切り換わったのだろう。このように、「親子協力しての怠け虫退治」といった枠組みがしっかりと共有されていたからこそ、父親と太郎の「ここ一番の対決」も無理なく副作用なく生じたのであると考える。

出典：『家族療法の秘訣』一三三―一四一頁、二〇一〇年、日本評論社（一部改変）

第2部

事例編

第3章 過食症の女性／個人面接

初回面接

1

弥生《やよい》は二六歳の女性。小柄で色白、ちょっと丸顔。目鼻立ちがチャーミングで、テレビでよく見るアイドルタレントにもどこか似ている。初対面のセラピストにも笑顔でしっかりと挨拶ができ、社交性もなかなか高そうであるし、賢そうでもある。

セラピストが彼女と会うことになったのは、彼女が勤める高齢者介護施設の施設長（女性）からの依頼による。施設長はセラピストの古くからの知人でもあり、職員のメンタルヘルスの件で、セラピストはこれまでもいろいろと相談に乗っていたのである。

施設長は弥生について、電話で次のように説明した。

弥生は大学を卒業後、当施設に就職。明るい性格でまじめ。仕事もよくできて、誰からも好かれるような、まさにアイドル的存在。

ところが突然、体調不良を理由に退職願が出された。くわしく聞くと、就職して間もない頃から過食症の症状があったようで、この三年間でそれは徐々に悪化し、現在では毎日過食・嘔吐を繰り返しているらしい。身体への負担が大きく、これ以上仕事を続けられないという。

心療内科を受診させたが薬物では効果がみられず、医師からもカウンセリングを勧められた。大変よくできる子なので、できれば仕事を辞めてほしくはなかったが、彼女の気持ちに負担をかけないためにも、今ではそのことは期待しないようにしている。しかし、せめて症状を楽にしてやりたい。先生から何かヒントをもらえないだろうか。遠方ではあるが連れていくので、一度だけでも会ってやってほしい。

面接には、弥生の希望もあって、施設長が同席した。

2

セラピストは最初に、今日は話を聞いてもらいたいだけなのか、何かアドバイスがほしいのか、どちらであるかを尋ねた。弥生は、できればアドバイスがほしいと述べた。――①

続けてセラピストが、「解決したいことは何か」と確認すると、弥生は落ち着いた口調で、理路整然と詳細に、過食症状の経過と現状を語った。セラピストはできる限りその語りについていったが、それでもときどき試しに「症状以外のこと」をいくつか質問してみた。しかし、彼女はそれにはまったく乗ってこず、やはりまたすぐに症状そのものに関連したあれこれを述べ続けた。その様子は、まるで「過食症状にとり憑かれている」かのようにセラピストには感じられたものである。

セラピストはやむなく一五分ほど、弥生が語るままに症状の話を聞いた後、いくらか打ち解けたような感触を得たので、場に少し変化を与えようとした。

「ところで弥生さんは、『心身交互作用』ってご存知ですか?」

「い、いいえ。聞いたことがあるような、ないような」

「心と身体は相互に影響し合っているということなんですけど。まあ、簡単にいうと、心の状態が身体の不調に関係しているってこと。そのような考え方、どう思われますか?」

「私の症状には、何かのストレスが関係しているということでしょうか?」

「まあ、そういうこと。もしもそのような考え方に、『いやだなあ』という気持ちがないようだったら、症状から離れていくつか質問してみたいことがあるんですけど……。まだやめておいたほうがいい?」

「こうして心理学の先生にカウンセリングを受けるってことは、やはり心の中を分析されるのだろうと思ってきましたから、大丈夫です。でも私、ストレスってないような気がしますけど、症状のこと以外は」

「施設長さんには、このまま部屋にいてもらっていいの?」

「はい。いつも大変親身になっていただいていますから、どんな話でも、全部聞いてもらってかまいません」

3

セラピストは、弥生に職場の様子を尋ねた。職務の内容、人間関係など。やはり、これといった問題はない様子である。施設長も、職場で何か問題があるようにはとても思えないと、太鼓判を押す。

次にセラピストは、家庭での生活の様子を尋ねた。

「私、ひとり暮らしなんです。もう二年以上になります」

「そうなんだ。大変でしょう？　ひとり暮らしって」

「でも、それって私のストレスなんかじゃありません。もうすっかり慣れましたし」

「でもほら、何かと不便なことも」

「大丈夫です（笑）。それに、実家が近いから、しょっちゅう帰ってるし」

「そうなんだ。実家がわりと近いのね？　どれくらい離れているの？」

「歩いて一〇分くらい」

「えっ、歩いて一〇分？　ずいぶん近いねえ。なんでまた、アパートを借りることにしたの？」

「過食の症状のせいです」。弥生はきっぱりと言う。

「症状のせい？」

「はい。実家で過食をすると、母は私が病気だと理解してくれているからいいのですが、父とひとつ下の弟は、気持ち悪いとか、性格が歪んでいるとか、気持ちが負けているとか、とにかくボロクソに言うんです。それで私も言い返して、ケンカになって、家の中がめちゃくちゃになるから、避難用に（笑）、アパートを借りたんです。そこだと安心して過食ができるから。でも、過食の後は身体もきついし、気持ちも目一杯落ち込んで、もう死にたくなります。次の日の朝も起きるのがつらくて、そのまま無理をして仕事に出かけるのですが、電車の中では手すりにぶらさがるのも……」。弥生は、また症状の話に舞い戻ろうとした。

「いやあ、びっくりしたなあ。弥生さんの身体とご実家は、同じことが起きているのですねえ!?」。セラピストはちょっと大げさに驚いてみせ、彼女の注目を引いた。

「えっ？　どういう意味でしょうか？」。弥生は、かわいい目をぱっちりと見開いた。

4

「まったく同じことが起きているようにみえますよ。だって、弥生さんが食べたものが本来収まるべきところは胃袋なのに、収まらずに外に出てしまう。それと同じように、弥生さん自身が本来収まるべきところは家庭なのに、収まらずに外に出てしまっている」。セラピストは少々ひょうきんな身振りを交えて語った。

「……」。弥生はほんのしばらくキョトンとしていたが、すぐに笑い出した。

「そうですよね。たしかに、考えてみたらそういうことになりますね。……どちらも過食さえなければ、こんなことにはなっていないのに」。弥生は過食を恨んだ。

「ひとつだけ、どうしても教えてほしいことがあるんだけど」。セラピストはこれ以上できないくらいまじめな顔になった。

「何でしょうか……」

「いつから、お父さんと、もめているの？」

「だから、父が、私の症状を理解してくれないから」。弥生は少し早口になった。セラピストはすぐに口を挟んだ。

「過食よりも前でしょう？　何か不調和なことが起き始めたのは。違いますか？」

弥生はちょっと硬い表情で、セラピストを見たまま黙りこんでしまった。セラピストもじっと彼女を見た。

5

「……はい」。小声で答えた弥生の目にはみるみる涙が浮かんだ。やがて、大粒の涙がいくつもこぼれ落ちた。そして少しずつ、振り絞るように、長い独白が始まった。

語られた内容は、次の通りである。

弥生の父親は会社を経営している。幼い頃から父親が大好きだった彼女は、父親の会社の後継ぎになりたいとずっと夢みてきた。そのために、大学も経営学科に進んだほどである。――②ところが、いよいよ卒業という時、父親は彼女の入社を拒んだ。理由はわからない。彼女は父親に懇願したが、どうしても受け入れてもらえなかった。やむなく、彼女は今の高齢者介護施設に奉職したのである。

彼女は「父親に裏切られた」という思いを強く抱いたが、その一年後、さらに彼女にとってむごい仕打ちが待っていた。「父親の会社になんか絶対入らない」と言っていた弟が、大学卒業直後、三顧の礼をもって会社に迎え入れられたのである。みんなに騙された。彼女はこうした一連の流れの中でひどく傷つき、いつしか、父親と弟に恨み心を抱くようになったのである。

6

セラピストは、弥生の語りに最後まで耳を傾けた。そして、

「過食や嘔吐といった身体の不調和は、弥生さんの心の不調和が形になって現れているのだと思いますよ。違いますか?」

弥生は、まだ少し泣きじゃくりながらも素直にうなずいた。

「その心の不調和がなくなれば、身体の不調和も間違いなく消えますよ」——③
弥生は小首をかしげてセラピストを見た。

「でね、とてもラッキーなことに、その心の不調和を整えることは、あなたなら、とても簡単なことなんですよ」

弥生は、不思議そうな顔でセラピストを見続けている。

「だって、今のあなたは偽物の弥生さんですよ。本当の弥生さんは、お父さんや弟さんに恨み心をもち続けるような人では決してありませんね。違いますか?」

彼女はまた大粒の涙をひとつ流し、小さくうなずいた。

「本当の自分を取り戻すことができた時、全部が調和しますよ。……さあ、お父さんと弟さんを許す準備ができましたね。これから、いい方法を教えてあげるから、私の言う通りにして」

セラピストは紙と鉛筆を準備して、弥生に手渡した。

「これから私の言う言葉を紙に書いて。そして今日から毎朝毎晩、お父さんと弟さんの顔を思い浮かべながら三回ずつそれを読む。これだけ」――④
彼女は興味深そうに、そしてときどき軽く笑顔をみせながら、セラピストの言うことを丁寧に書きとめた。

そして、必ず続けると、固く約束した。


私はお父さんを許しました。お父さんも私を許しました。ありがとうございました。

私は弟を許しました。弟も私を許しました。ありがとうございました。

7

面接当日の夜、施設長から電話があった。

「彼女が先生に話した内容には大変驚きましたが、面接の帰り道、本当に清々しい顔をしていたので、きっと何かいいことが起きることを信じています。ありがとうございました」

二ヵ月後、施設長からはずんだ声の電話があった。

「先生は当たり前だと言われるかもしれませんが、彼女の過食症状はもうずいぶん少なくなっています。何より、毎日とても明るい表情をしています。それから、大変嬉しいことに、施設で仕事を続けてくれることになったのですよ」

そのまた三ヵ月後、施設長からもっとはずんだ声の電話があった。

「もう過食の症状はまったくなくなったようです。そして先生、驚かないでくださいね。彼女は、家庭の中でとても大事なポジションを得たのですよ！　実は父方の祖母が病気で倒れて介護が必要な状況になったのですが、それに際して、彼女の施設での経験や知識が大変役に立っているのです。彼女は家族に求められ、認められるようになったのです！」

小論Ⅰ

「症状の原因」というもの

「○○の原因は××である」といった言説は、それがどれほど真実らしく聞こえるものであっても、ひとつのフレームに過ぎない。大事なことは、そのフレームが引き続き、どのような現象を展開させていくのかということだ。

「何が正真正銘の真実か」を考えることではなく、セラピストがクライエントと共同でどのような「真実」を構成することが、よりよき治療的展開につながるのか。そういった観点から考えることが、システムズアプローチの真骨頂である。

仮に、（そのようなものがあるとして）「本当の原因」をみつける能力がセラピストに備わっていたとしよう。そしてたとえば、クライエントの症状の原因が父親との関係にあるとわかったとする。しかし、そのクライエントが何らかの事情で父親との関係に触れてもらいたくないという思いをもっていれば、セラピストの指摘はなかなか受け入れてもらえないことだろう。

下手をすると議論になる。あるいは、「抵抗の強いクライエント」などといったフレームがセラピストの中に形成されてしまう。セラピストの側に「本当はこれが原因なのに」という思いがあったとしても、クライエントとそれを共有できないのであれば、それは「役に立たない原因」なのである。

かといって、セラピストが「とりあえず、これが原因だということにしておきましょうよ」などと正直に述べては、クライエントからふざけた話と思われるのが落ちだ。「クライエントが受け入れられる範囲のもので、それが本当の原因だと思える」からこそ、クライエントはその「原因」をなんとかしようと取り組むことができる。真実である必要はないけれども、真実味があることは大変重要なのである。

科学性を重要な価値観としてもっているクライエントに対しては、心理学の用語で症状を説明することがよいかもしれないし、そうでない場合、「虫がついた」などといった説明でもよい選択になる可能性がある。繰り返すが、何を真実として構成することがその後のよき治療的展開につながるのかという観点からセラピーをプランニングすることが重要なのである。

そして、「『○○が原因である』という思いをセラピストとクライエントが共有し、それを軸にセラピーを展開させることで、必ず問題を解決できる」という確信をセラピストがもつことは、きわめて重要な治療的要素であると、強く主張しておきたいと思う。

その意味で、「○○がクライエントの問題の原因である」というリフレーミングを行うための条件は、その路線に沿ったセラピーの展開の中で、解決を構築するだけの技量をセラピストがもっていることである。リフレーミングの後に解決を用意する術を知らないのにもかかわらず、新しいフレームだけ提示するのは無責任なことはなはだしい。

たとえば、行動療法の技術に自信がないのに「条件づけ」で症状を説明しても後が続かないし、外在化の展開をよく知らないのに「虫がついた」とリフレーミングしてもどうしようもない。「家庭環境が原因」にしろ、「心のあり方が原因」にしろ、そのリフレーミングによってクライエントが混乱し、セラピストまでパニックになってしまったというようなことでは困るのである。外科でいえば、腹は切ったけれども縫う糸を準備していなかったというようなもので、開けた限りは閉じるまでがセラピストの仕事である。オリエンテーションが何であれ、「心を開けて、閉じる」というプロセスを通して「解決という現実」を構築すること、これが心理療法を行う者の責任であろう。

本事例においては、面接の中で「症状の原因は、クライエントの父親と弟に対する恨み心である」というフレームが構築された。そこまでくれば、そのフレームに即した形でクライエントの中にP循環を形成する方法について、セラピストには手持ちの方法があったということである。

ジョイニングやリフレーミングはもちろん、認知行動療法や精神力動的アプローチの種々の技法、ブリーフセラピーや家族療法の技法なども、システムズアプローチに特有の技法でもなければ、必ず習得しなければならないというものでもない。しかし、セラピストがそうした技術のいくつかを習得して特技としておくことは、様々なフレームに即した形で解決を構築することができるようになるために、大変望ましいことである。

それぞれのフレームに関連した理論と実践についての見識を深めておくことによって、たとえば「あなたの症状はストレスからきている」とリフレーミングしたうえで自律訓練法を指導することができるかもしれないし、「あなたの症状は『条件づけ』によるものだ」とリフレーミングしたうえで行動療法を提案することができるかもしれない。「ものの受け止め方が影響している」なら認知療法だろうし、「悪霊が憑いている」ならお祓いであろう（お祓いをするセラピストがいるかどうかはわからないが）。いずれにせよ、それぞれのセラピストが所有する「特技」が治療を促進することになる。

ただし、本事例のような「大胆な」リフレーミングの組み立ては、初学者ではなかなかうまくいかない場合が多い。新しいフレームを提示するだけでよい変化が生じる算段があるのなら話は別だが、下手をするとかえってクライエントの不安や抑うつ感、怒り等を強めるだけの結果になる。

中途半端な思いつきや知識で「症状の原因」をクライエントに提示してはならないし、「本当の原因」探しなどに頭を使う必要はまったくない。「原因」、それは単にひとつのフレームに過ぎないのであり、さて、このようなフレームはクライエントの役に立つだろうかと、自分はセラピストとしてそのフレームをクライエントのために使い切れるだろうかと、このように自問することこそ重要なのである。それが責任あるセラピストとしての態度であると思う。

少なくとも初心のセラピストは、提示した事例のような介入は決して安易に真似することなく、このような方法もあるのだなあと、そして、「症状の原因」というのはただのフレームであるのだなあと、よくよく知ってほしいと思う。そのことをしっかりつかんでいただくことが、本事例を提示した一番の目的なのである。

ディスカッション

※参加者は、全編通して以下の五名（仮名）＋東である
岡田さん（大学院修士一年生）
星野さん（大学院修士二年生）
吉田さん（修士課程修了後二年経過・臨床心理士）
中村くん（修士課程修了後五年経過・臨床心理士）
藤本さん（大学院博士一年生・臨床心理士）

まずはニーズに沿って動く

東　これは摂食障害のケースで、個人面接です。仕組みは大変シンプルですね。症状にしがみついているクライエントに対して、問題を別のところにシフトして、そこで解決を構築していく。つまり、症状のとらえ方に関して新しいフレームを用意し、そこで解決を作っていくということです。

ここで構築された新しいフレームは、家族の問題が症状の原因であり、それが解決されれば症状も解消されるというもの。身体症状を心理的な問題に置き換えるのは、伝統的な手法ですね。

では、質問をどうぞ。

星野　冒頭に、「今日は話を聞いてもらいたいだけなのか、何かアドバイスがほしいのか」とセラピストは質問していますよね〔①〕。これは、どのような意図があったのでしょうか?

東　何はともあれ、最初はクライエントのニーズに沿って動くことが重要です。だからまず、自分が何をしたらいいのかを確認しました。またそれによって、クライエントは面接の場が自分が大切にされる空間であり、自分が主役であると感じ取るかもしれません。

実際のところ、このケース、クライエントのニーズによって、私のその後の対応はずいぶん変わっていたと思います。とくにアドバイス不要ということであれば、クライエントの話に沿いつつ、ポジティブ・リフレーミングを徹底することになったでしょう。

ただクライエントは間違いなく「アドバイスがほしい」と言うだろうと、この段階で私は予想していました。だって、わざわざ遠方から、しかもたった一回しかこないんだから。アドバイスが必要なのがいわば当たり前だからこそ、わざわざ確認したともいえます。「自分はアドバイスを求めている」というクライエントのフレームを明確にしておくことで、いっそうアドバイスがしやすくなりますから。

中村　アドバイスが入りやすくするための工夫でもあるわけですね。

「自然風」に問題をずらす

吉田　面接中盤、職場のことから家族のことに話題が切り替わっていますよね。先生は、最初から家族関係に問題があると思っていたのですか？

東　そんなわけはありません。たまたま家族関係のことを話題にしたら、そこに問題があるという展開になっただけのことです。職場の人間関係の話題で盛り上がったら、「盛り上がる」というのも変な表現ですが、そちらを広げたでしょう。

でもこの場合は、ふたりの会話が「家族関係の問題」に煮詰まっていったわけですね。もちろん、私があからさまにヴェールをはがしたのではなくて、自然とそこにいったのですよ。

私としては、別に家庭でも職場でもどこでもいい。何も無理に家族関係に話をもっていきたいわけではない。東は家族療法が好きだから、この手の話題にもっていったのだと思ったのでしょう？

吉田　はい（笑）。

藤本　でも、実は自然の流れ。

東　厳密にいうと自然ではあり得ないのですが、「自然風」にみえてしまうことが大事ですね。一番違和感のないフレームを選択して、面接の中で扱っていくわけです。

それができるようになるためには、セラピストはどんなフレームでも、自由自在に扱えるようになっておく必要があります。セラピスト側に内面的なこだわりやひっかかりがあると、面接中どうにも苦手な話題があったりする。その領域に入るとしんどくなる、あるいは腹が立ってくるなど、妙な反応が生じて、無意識にその話題を回避してしまう場合があるのですね。

だからまず、セラピストが自分自身の問題を少しでも解決しておくことが大切。それができていればこそ、クライエントがどの方向にいっても、それに付き合うことができる。

でも結局、煮詰まったところで行うことは一緒。そこを土俵にして、解決を構築する作業を行うことです。

乗ってくる土俵を探す

藤本　リフレーミングに取り組むにあたって、解決が構築しやすい「土俵」をみつけなければならないということですね。

東　そうです。そういう場所が必ずありますね。でも、それはひっそりと隠れていることが多いようですよ。堂々と表に出ているものは、いい土俵になりにくいことが多いですね。

中村　表に出ている土俵では、すでにいろいろなされてきている。

東　そこは勝ち目のない土俵なのだから、いや、勝ち目がまったくないわけではないけれども、そこではさんざん苦労してきているわけだから、まあ今回はちょっと目線をずらしましょうって感じかな。皆さんご存知の「虫退治」なんて、まさにその手合いですね。本人の性格の問題やら家庭環境やら、そのようなものと症状はまったく無関係で、なんと「虫がついた」などと言うわけです（笑）。さっき言ったことと逆で、これはまったく自然ではないリフレーミングですね。クライエントはたいがい驚きますよ。「えっ？」って。

吉田　「えっ？」と思いながらも乗ってくる。

東　そうそう、そこが大事なんだよ。「えっ？」っと思いながらも、乗ってくることが大事。

だから、乗せる自信がないのであれば「虫退治」はしてはいけませんよ。このような大胆なリフレーミングは、もっと経験を積んでからにしてください。皆さんがまず練習すべきは、「自然風」にクライエントの話に沿いながら、しかしクライエントがこれまでこだわっていたところから少しずつずらしていくことです。

このケースでいうなら、「過食症状に対処する」というクライエントがこれまで取り組んできた土俵から、新しい土俵、すなわち「家族関係の問題」に徐々に移行させようとする意識をもつことですね。面接の中で、セラピストとクライエントがその新しい話題に自然と集中していく。ここが第一のポイント。

そのうえで、症状と新しい話題とを関連づけること。つまり、この新しい問題を解決することがあなたの症状の治癒につながりますよ、というリフレーミングにもっていく〔③〕。これが第二のポイントです。

心身医学的治療でいうなら、「あなたの身体症状は、ストレスへの対処法をマスターすれば治ります」と患者さんに理解してもらうことと同様ですね。心身医療の場合は、その後に自律訓練法の習得などが続くわけです。

吉田　でも心身医療は科学っぽいけど、先生のはインチキっぽい（笑）。

中村　それは「虫退治」のイメージがあるからじゃない？「あなたの身体症状は虫退治をしたら治ります」って、そりゃあインチキっぽいわ。自律訓練法の代わりに壺でも買わされそう。

東　きついフレームだねえ、君らの発信（笑）。

でもこのケースのように、「家族関係の改善が過食症の治療になる」というのは、それほどインチキっぽさのない、なかなか説得力のあるフレームでしょう？「心と身体は相互作用している」とか「家族関係のストレスが心身に影響を与える」というのは、世間一般である程度受け入れられていることですから。おそらく弥生さんの中にも、そのようなフレームがどこかにしまい込まれていたのではないかと想像します。だからこそ面接を受けにきたのだし、家族関係の話にもわりとスムーズに入ってこられたのでしょう。

岡田　なるべく常識的なフレームを使ったほうがいい？

東　その分インパクトは弱いけれども、入りやすいのは間違いない。

解決には責任をもつ

星野　逆に、入ったのはいいけれど、それがセラピストの手に負えないようなフレームではいけないのですよね？

東　それは大変重要なポイントですね。

セラピストとクライエントが共同で作り上げた土俵の上で「解決が構築」できる、その確信がなければいけません。そうでないと、クライエントをいっそうつらい状況におくだけになります。「子どもの行動上の問題」で来談したのに、「あなたの育て方の問題」とセラピストに告げられて、いっそう落ち込んでいる母親などが典型例ですね。

吉田　よく耳にします。

東　「新しい問題」にきちんとシフトできれば、本来の主訴に対するしがみつきはいくらか弱くなるので、それだけで症状がいくらか改善することもあります。たとえばこの場合、過食症状に意識が強く向いている状況から家族関係に意識を向けることができれば、クライエントの中で過食症状の位置づけが変わるでしょう？　過食症状へのとらわれを手放すことで、症状の変化が一時的に生まれるわけです。

しかしその「新しい問題」が、これまで以上に解決することが困難だという印象を与えるものだと、クライエントはまたなじみの過食症状に戻ってしまいます。それは「よりましな苦痛への逃避」であるのかもしれませんし、「セラピストへの非難」という意味なのかもしれません。「あなたの育て方の問題」と責められた母親が、ますます「子ども自身の問題」を強調することが多いのと同じようなことですね。

もっともこのような防衛があるのはまだいいほうで、セラピストがシフトした新しい領域、たとえば家族の問題などでいっそう大きな苦痛に直面してもクライエントが逃避せず、妙にがんばりすぎて、もっと悲惨な精神状況に陥ることもある。そうすると、過食症状などよりさらに深刻な症状を呈することもありえます。

その意味で、「新しい問題」を提示したセラピストにはきわめて大きな責任がともなうのです。同じリフレーミングでも、ポジティブ・リフレーミングは害が少ないけれども、このようなちょっと大掛かりなリフレーミングは、クライエントに大きな悪影響を及ぼす危険性があるのですね。

中村　プロの心理臨床家であっても、ある学説がまるで真実であるかのように考え、クライエントや家族にそれを押しつけ、害毒を垂れ流しまくっている人もいるのですね？

東　しっ！　声が大きい！

中村　先生、いつももっと大きな声で同じようなことを言ってるじゃないですか！

東　今回はほら、本になるから、お上品にいきましょう。それに、私がそのような一見お下品なことを言うのは、決して他者批判ではなくて、自戒の意味が大きいのですよ。そもそも、私がここで話していることも、ただのひとつのフレームに過ぎないのですからねえ。他の人からみたら、こちらが害毒かもしれない。

吉田　でも「私にはその自覚があるからすばらしい」と、セルフ・ポジティブ・リフレーミングが得意の先生。

東　君たちがほめてくれないから、いつも自分でやらざるをえない。やはり何でも相互作用だねえ。

中村　自分でちゃんとほめるから、他の人が誰もほめてくれないんじゃないですか、相互作用的には。

藤本　おぉっ、リフレーミング対決！

東　（笑）とにかく、新しいフレームが比較的容易に解決できるものであることが大原則です。その土俵の上でクライエントとともに「解決を構築」する算段や自信がないのに、どこかの心理学書に書いてあったフレームをクライエントに安直に提示するようなことは絶対にしてはいけません。このことは、心理職として一生涯忘れないようにしてほしいですね。

緩みやすい場所はどこか

中村　ところでこのケース、ある方面の人からみると、直面化（避けてきた問題を正面から扱うこと）が早すぎるんじゃないか、たまたまうまくいったからいいけど……みたいに言われそうな気がします。

東　たまたまじゃない。計算しつくしています（笑）。

とはいえ、「展開が早すぎる」とちょっと批判的にコメントする人もいるでしょうね。以前、ある先生が私の面接をみて、「精神分析のアプローチで何ヵ月かかけてやることを、東さんはほんの数回でやる」と感心してくれた、いや、批判かな。

中村　きっと批判です（笑）。

星野　この事例では、家族の問題を土俵に解決を構築できると先生が判断した根拠はどのようなものだったのでしょうか？

東　一番は、クライエントと父親や弟との関係が長年にわたって良好であったということ〔②〕。この情報はものすごく大事です。関係が悪化したのは、ここ三～四年に過ぎないということ。

そうではなくて、実は長年お父さんに虐待されていたとか、現在も性的虐待があるとか、そんなことが語られたのなら、父子関係にはそう簡単には近寄らない。勘違いしてほしくないのは、虐待などの体験はどうしようもないなどといいたいのではなくて、少なくとも私には、たった一回でその解決の方向性を示すフレームを作れる算段がないということですね。仮に、「虐待と症状が強い因果関係にある」といったフレームをクライエントがもっていて、どうしてもその話題を避けて通れないようであれば、このクライエントが継続的に通える居住地近辺のセラピストを紹介していたでしょう。

たまたまこのケースは、私の中で「一回で解決が構築できる」と判断されたわけです。現在でこそ父親や弟への恨み心はあるけれども、元来は仲のよかった親子兄弟。その意味で「軽いケース」なんですね、少なくとも私の中では。そのあたりの見立てはしっかり行います。

星野 たとえばアタッチメントの問題がある人だったら、どこかで反応が違っている。

中村 そのあたりの「軽さ」が感じ取れるからこそ、次の対応が可能だったのですね？

東 そう。適切な例かどうかわからないけれど、たとえば心身症の人に自律訓練法を指導しても、統合失調症の人にはしませんよね。同様に、このクライエントには「親を許しなさい」とずいぶんはっきり示したわけだけど、ひどい虐待を訴えているような人にそのような安直なことは言わない。

藤本 そもそも、できれば違う話にもっていきたい。

東 そうです。私にとって、「解決を構築できる」と確信できる話題に、ね。

中村 クライエントから強調されて語られる問題には、むしろ近寄りたくない。

東 もちろん、ジョイニングのためにいったんは接近しますよ。と同時に、アセスメントのためにも。ここでいうアセスメントとは、クライエントのフレームを知る、言い換えればクライエントの「縛り」を知ること。それは五分から二〇分もあれば、ほとんどわかる。そのうえで、まあ同時進行でもいいのだけれども、クライエントの緩みやすいフレームがどこかを探すのです。つまり、リフレーミングが生じやすそうな領域探し。

一同　（口々に）それが難しい、そこを探すのが難しい。

東　それを探すのが楽しみなんですよ。だからすぐにトライする。

吉田　ええ、楽しみなんですか？　私だったら、「ちょっと次回の面接までお待ちください」って感じです。

東　それでもいいんですよ。初心のうちはその場で全部やらなくても、じっくり振り返りをしてからでもいい。とにかく、リフレーミングできるポイントを探すという意識をもつことが大事だということです。

とはいっても、このケースのような楽な展開ばかりでなく、主訴からなかなか離れてくれないクライエントもいますよね。話題を変えようとしても、どうしてもそこに戻ってしまう。

岡田　そういう時は、どうすればいいんでしょうか？

東　しばらくはそのフレームに付き合う。付き合いながら、チャンスをうかがう。

藤本　チャンスをうかがいながら、種をまいていって……。ここ一番でしっかりリフレーミングできるように。

東　そうそう。いろんなポイントに種まきして、芽が出そうなところを探すわけです。すると、そのうちリーチがかかる。うまくすると、ダブルリーチもトリプルリーチもありえる。

……こんな表現使うから、「東はクライエントの悩みや人生を軽んじている」などとリフレーミングされてしまう。

一同（笑）

リフレーミングで「縛り」をとろう

東　もちろん、軽んじているわけではありません。クライエントの思いや言葉はすべてフレームである、言い換えれば自他に対する「縛り」であるとみる。セラピストとの共同作業としてのリフレーミングを経て、その「縛り」から自由になっていく、そのプロセスが心理療法であるというのが、私の基本的な考え方であるわけです。

いかに真実のようにみえても、それはひとつのフレームに過ぎない。そして、多くの人が同じフレームを心に描いて言葉にすることで、社会的に存在感をもつフレームができあがる。社会構成主義ですね。だから、リフレーミングとは、脱構築、あるいは物語の書き換えのための作業であるといってもいいのです。

岡田　ちょっと難しくなってきました。

東　個人個人の心の中の思いや、それに応じて言葉として出てくることが個人的なフレームであり、自己規定であり他者規定となる。これを緩めること、あるいは変化させることをリフレーミングという。これが基本です。最低限、ここまでは押さえてください。

岡田　リフレーミングがうまくいくと、どのようなことが生じるのでしょうか。

東　心が変わり、言葉が変わり、関係が変わります。よく変わるか悪く変わるかは、リフレーミングの内容次第ですけどね。しかし治療で用いられる限りは、よく変わることが前提でしょう。

岡田　フレームを「緩める」のと「変える」のは違うのですか？

東　同じ直線上にあります。たとえば、「子どもの問題は、私の育て方が悪かったのです」と言う母親に対して、「そのような考え方をどこから仕入れたのですか？」とか「そのように考えることはあなたにどのような影響を与えますか？」といった相対化の質問をすることは、**緩める質問**といってもよいでしょう。このようなやりとりの延長線上で、別のフレームへクライエントが移行することを期待しているのです。この方法のエレガントなところは、首尾よくクライエントのフレームが変わったら、それがクライエントによる自発的なものであるという印象を強く与えることですね。

星野　一般的なカウンセリングのイメージにも合致します。

東　一方、「そのように思うことで、父親であるご主人に子どもと関わるチャンスを与えようとなさっている。それは、母親としての無意識的な知恵・工夫です」とポジティブ・リフレーミングすることもできる。これは、クライエントのフレームを**変える解釈**です。「ですから、今後も自分の育て方が悪かったと思い続けておかねばなりません」などと指示すると、いわゆる逆説的指示となります。

岡田　指示の部分はいやらしく感じるけれど、解釈は素敵です。

東　おっ、君には入りそう（笑）。

　その他にも、「あなたの育て方が悪いのではなくて、あなたの育てられ方が悪かったのです」「父親の非協力が悪いのです」「子どもさんに虫がついただけのことですよ」など、いろいろな形でリフレーミングすることが可能です。ただし、このあたりのリフレーミングは、下手をするとセラピストからの押しつけだと受け取られかねません。

中村　だからこそ、クライエントが押しつけられたと感じないような運びと、その後の「解決構築」が大切なのですね。

東　そうです。その新しいフレームに乗って、解決を構築していけるような文脈を形成することができるかどうかがすべてです。そのフレームが真実であるかどうかなど、まったく問う必要はないのですね。「真実味」があることは大事ですけれども。

　人は現在所有しているフレームがすべてだし、それも自分で変えようと思えば変えることができる。子どもの頃にどんな育て方をされようが、本来関係なし。

岡田　はぁ……。関係なし、ですか？

東　抵抗あった？（笑）なぜ抵抗があったかというと、そこに君の「縛り」があるからだね。

　でも、それがあったらだめだと言っているのではないよ。そのフレームが君の役に立っているのなら、大事にしておくほうがいい。しかし少なくとも、それは決して真実ではなくひとつのフレームであるという意識をもっておくことは、よいセラピストになるためにとても大事です。

吉田　「縛り」があってもいいんですよね？　「自分にはこんな『縛り』あるんだな」って思っていて、「でも、それは必要があれば解けるんだ」という視点があればいい？

東　そうです。ちょっとたいそうにいうと、すべての思いはフレームであり、人はそれを自由に選択できる。だからこそ、自分にとってできるだけ役に立つフレームを採用しよう、ということ。徹底的なプラグマティズム、実用主義です。

　皆さんもクライエントも、本来はもっと自由なのに、自縄自縛しているのが人生ですね。でも、それは決して環境や生い立ちに縛られているのではなく、そうしたことに対するとらえ方も含めて、自分自身のフレームで縛っている。それを解いていくのが心理療法であると考えるわけです。

藤本　「縛り」をほどけると思うから、セラピーを引き受けているんですよね。

東　「ほどける」という言葉は、「仏になる」の変形。仏になるといっても死ぬことではないよ。「仏になる」イコール「悟る」こと、つまり自由な精神性の獲得です。

藤本　ひとつのものの見方にとらわれることなく、自分の可能性を広げていくということですね。

東　そうです。まず、セラピストとしての自分自身が自由人であることが望まれるのです。セラピストが不自由のままで、クライエントが自由になるお手伝いをするというのはちょっと難しいと思う。自分を不自由にしている様々なフレームをじゃんじゃんリフレーミングし、まずは専門家である自分たちの可能性を広げましょう。

自分自身の価値観をもつ

岡田　先生の話を聞いていると、システムズアプローチって、なんだか「すっぽんぽん」って感じ（笑）。結局、何でもあり、みたいな。

東　はい、「すっぽんぽん」です（笑）。何でもありですね。

だからこそ、さっきと矛盾したことを言うようだけど、今度はセラピスト一人ひとりの価値観の確立が大事になってくるのですよ。

一度、すべての思念はただのフレームであると理解したうえで、自分が拠って立つ価値観を決めていく。一度捨てて、改めて構築する。そうでないと、「一体、このセラピストはどういう人なのかしら」と哲学のない人にみられます。「何でもありの哲学です」では社会で生きていけないし、仕事もできませんからね。「何事も相対主義でやっています」なんていう人は、何か必要があって相対主義者の仮面をかぶっているのか、自分の価値観を披露することを恥ずかしいことだと思っているのか、本当に空っぽの人か、まあ、そんなところです。

だから皆さん、いつかは「自分にとっての真理」であるところのフレームを獲得しなければいけません。でもそれは、かつて知らず知らずのうちに自分を縛っていたフレームではすでにない。ここが一番大事なところですよ。

これぱかりは、私が押しつけるわけにはいきません。皆さんが、自分で探してください。

吉田　……それでも一応聞きますけど、先生の場合の真理は？

東　ナイショ。……でも言いたい。

中村　さあ、宗教の話になるぞ！

一同　（笑）

東　だからやっぱりやめたい（笑）。

中村　じゃあ、それに関連するかもしれませんが、この事例、場合によってはずいぶん誤解される可能性があると思うのです。つまり、スピリチュアル・カウンセリングっぽいなあと。

東　最後の、宿題を出すところですね〔④〕。たしかに、このような私のやり方はスピリチュアル・カウンセリングの方法に近いと指摘してくれた人もいます。

ただ、私の中では、決して何か霊的なフレームを提示しているつもりはないのです。あくまで、P循環を作ることが私の意識。仮想の父親・弟との間でP循環が生じること、あるいはこの話題を通してクライエントの中のP要素が膨らむこと。どちらが先かは鶏と卵の関係です。

先ほど、問題をシフトする限り、その新しい問題を土俵にして解決を構築するのがセラピストの責任性だという話をしました。この場合も、「過食症状」から「クライエントと父親・弟との関係」に土俵がシフトしたのですから、そこで「解決を構築」しなければならないわけです。

そのための方法はいろいろあるのですが、この場合、面接に父親や弟がくることはないので、家族合同面接を行うことは無理。また、クライエント自身も遠方で一回しかくることができなかったので、地道に家族関係の話題を通してP循環を形成していくといった手法もとりづらい。そこで、あのような手法を用いたのですね。実際、これは経験的によく効くのです。

とにかく、目的はP循環を起こすこと。P循環の相手として、私はスピリチュアル・カウンセラーではありませんが、クライエントの価値観によっては、「神様」や「守護霊」を選ぶことが適切な場合もまれにあります。「私の中の神様、守護霊様、いつもお護りくださりありがとうございます」「南無妙法蓮華経、云々」「南無阿弥陀仏、云々」などなど、名称は何でもいいのですが、要はクライエントが受け入れられる形で「ご神仏」とつながっている感覚をイメージしてもらう。

もちろん、その「つながり」はP循環であるべきです。恨み・つらみを述べたり、利己的なお願いばかりをしているようでは、逆にN循環の形成です。

吉田　ついに時空を超えた！（笑）

P循環を膨らまそう

東　いやあ、とうとう話してしまいますよ（笑）。

いつも言う通り、皆さんが家族や友人たちとの間にP循環を起こすことは心の中のPをじゃんじゃん増やすから、自分の幸福のためにも、セラピストとしてのトレーニングとしても、とっても有意義なことです。でも、実は方法は横だけじゃなくて縦もある。

星野　横、縦？

東　横は同次元の人間関係、つまり家族や友人とのコミュニケーション。縦は、私たちの上にあるものとの関係。つまり神様・仏様とのコミュニケーションです。いや、神様・仏様という表現がいやだったら、宇宙でも不可思議光でもサムシング・グレートでも、呼び方は何でもいいのだけど……。で、それとのつながりを意識する。

一同　（ニヤニヤしながら聞いている）

東　皆さん、何やら笑っていますけどね。システム論者であるなら、「部分と全体のつながり」はかなり意識しているはずでしょう？　そのようなものの見方を、「個人と家族」といったことだけにとどめるのではなく、「個人と神様・仏様」との関係を規定して、同様に発想してみるわけです。システム論的にいえば、ご存知の通り、素粒子から宇宙まで、階層を超えたシステムが相互に影響し合っている。私たち人間はその中間のどこかに位置する存在なのですから、要するに私たちと宇宙はつながっている。

吉田　たしか『セラピスト入門』に書いてありましたが、先生がオナラをすると、どこかの星が爆発するのでしょ？

東　オナラじゃなくて、くしゃみですけど（笑）。

そこまで意識できれば準備万端、上のほうとの交流が可能となる。で、どうせ交流するならP

循環ということになるのですよ。

星野　「上」と、つまり神様？　サムシング・グレート？　まあ、そのようなものとP循環を起こすことに、どのような効用があるのでしょうか？

東　一番の効用は、「どこでもP循環」。自宅のベッドの上でも電車の中でも食事中でも授業中でも、いつでもどこでもP循環を起こすことができるので、その反映として、自己内部にP的なものを常に維持しておくことが容易になるのです。

　これね、『セラピスト誕生』でセラピストのP要素を強化するためのトレーニング法の「上級編」の予定だったのだけれど、さすがに編集者からのクレームでボツ。編集者に「上級編は何ですか」と問われて、「たとえば先祖供養です」なんて答えたら思いっきり引かれたなあ（笑）。

岡田　そういえば、『セラピスト誕生』にはPを高める方法に初級編と中級編しかなかったので、不思議に思っていました。

東　まあ、要するに自分の中のP的なものを膨らませること、そうすると実際によいものが与えられるということ。この二点が縦のP循環の効果です。結局、本質的には縦のP循環も横のP循環も同じことが起きるということですね。

岡田　やってみたいです！

東　はい、東教信者さん、おひとり様ご入信！

一同　（笑）

東　縦のＰ循環といったフレームに抵抗が強い人でも、横のＰ循環形成には励んでください。実際にコミュニケーションしなくても、弥生さんのようにある人を思い浮かべて、お祈り風にＰ的な言葉を発するだけでもいいのですよ。私もしょっちゅう、皆さんの顔を思い浮かべては「いつもありがとうございます」なんてぶつぶつ言っていますから。

中村　疑わしい……。

吉田　「愛しています」はやめてくださいね。

東　（笑）そういえば、先日こんな話を聞きました。

　あるご夫人が、その方はクライエントさんではなく、社会人入学の私のゼミの学生さんですけど、ご主人と大喧嘩されましてねえ。ご主人はそのまま出張に出かけてしまった。いやな気分がずっと継続する。その時ふと、初めて聞いた時は小馬鹿にしていた私の話を思い出して、藁にもすがる思いで次のようにおまじないを何度も唱えたそうです。「私は主人を許しました。主人も私を許しました。ありがとうございます。私は主人を愛しています。主人も私を愛しています。ありがとうございます」。すると突然、電話のコール。驚いたことにご主人からの電話で、「俺が悪かった。出張先でもずっとモヤモヤしていて、どうしても謝りたくなって……」。

一同　えぇーっ！

東　次の日、この体験を本当に驚いた様子で私に報告されたのです。弥生さんの場合も、数ヵ月後には本当に家族が和解していますが、これと同じようなことですね。

さあ、これらの事実をただの偶然の産物というか、そこに何か必然を感じ取るか、それは皆さんの自由です。

吉田　わあ、やばい、東フレームにはまってしまいそう！

東　おふたり目、ご入信！（笑）この調子ですと、本になる時はまた相当なカットがあることは間違いありませんね。

では、次の事例に進みましょう。

第4章 万引きの高校生／母子合同面接

初回面接

1

嵐野智《あらしのさとし》は高校二年生。コンビニでの万引き現場を押さえられ、その時の調べで常習であったこともバレてしまい、学校へ通告されることになった。さらに続けて、学校では友人の財布から金銭を盗っていたことも発覚したのである。

智は停学処分を受けると同時に、精神科受診を勧められた。しかし精神科医は「窃盗癖」（衝動制御の障害）と診断しただけで、薬物療法では如何ともしがたいのでカウンセリングを受けるようにとアドバイスした。

セラピストは、トレーニング中の大学院生とともに、智と母親に会うことになった。

智は中肉中背。顔立ちはなかなかのイケメンで、ジャニーズ事務所にいそうなタイプである。ジーパンにポロシャツ、スニーカーといったラフないでたち。しかしセラピストの顔を見るなり、母親と一緒に立ち上がり頭を下げ、セラピストの目を見てきちんと挨拶した様子からは、いわゆる「不良少年」といった雰囲気はまったく感じられなかった。いじけた様子も突っ張った様子もみられず、素直でまじめな好青年といった第一印象。

母親は細身の色白美人。地味だが清潔ないでたち。しかし、いささかパサついた束ね髪とどこか物憂げな表情が実年齢よりも老けた印象を与えた。生活上のあれこれの苦労をひとりで背負ってきたかのような風情である。

2

「さて、どのような経過でこちらにこられることになったのか、どちらからでもお話しください」

少し身を乗り出した母親を、すぐに智が制した。

「僕が話すよ。お母さん」

智は少しうつむき気味に、しかし大変わかりやすく埋路整然と、これまでの経過を語った。

「君は、大変上手に話すことができるねえ。大したもんだ」。セラピストは、ちょっと大げさに感心してみせた。智は顔を上げ、わずかに微笑む。母親は、恐縮したように頭を少し下げた。

「それで、君ほどの人がまだ万引きなんかをやるつもりなのかい？」

セラピストは、こともなげに問いかけた。

「いいえ。もうしないつもりです」。智はちょっと驚いたような表情をみせながらも即答した。

「あ、そう。じゃあ、もう解決しているね」。セラピストは、カルテを閉じようとした。――①
智の顔に、ぱっと赤みが差したようにみえた。

「ちょっと先生、お待ちください」。隣の母親が、慌てた様子で口を開いた。

「とんでもありません。精神科では、この子は病気だと言われてきたのですよ」

「えっ？　病気なのですか？」

セラピストの問いかけに、智も母親も固まったようにみえた。

「まさか、智くんも、自分のことを病気だと思っているの？」

「いいえ……」。智は母親の顔色を気にするような素振りをみせながら、小声で返答する。

「ああ、よかった。それで、お母さんは？」

「い、いや、それは、どうなのかわかりませんが、精神科の先生はそのように言われたものですから」。慌てた様子の母親。

「じゃあ、病気でなくても別に困らないのでしょう？　病気ではありませんよ」

「病気ではないのですか……」。母親はちょっと安心したような、拍子抜けしたような、複雑な表情をみせた。

3

「し、しかし、病気かどうかはともかくとしても、この子は人の物を盗るのが癖になっているのです。必ずまたやると思います」。母親は言葉に力を取り戻した。

「えっ？　必ずやると、お母さんは決めているのですか？　智くんはもうやらないと決めていますが」。セラピストはとぼけた。

「先生、なぐさめていただかなくてもいいのです。この子は本当に問題の子なのです。いいえ、小さい頃はとてもいい子でした。本当に、私の自慢の子でした。でも私、心の中でいつも思っていたのです。そのうち、何か悪いことをするのではないだろうかと。智はどこか無理をしていて、いい子を演じているのではないだろうか、いつかきっと本性が出てくるのではないだろうかと。ずっとそのように心配していたら、とうとう小学四年生の時、初めて私の財布からお金を盗ったのです。それ以来、同じことを繰り返すようになりました。そしてついに、よそ様のお金や物を盗むようになってしまって……。この子はどんどん悪くなってきたのですよ！」

母親は手にハンカチを握りしめ、セラピストの理解不足を責めるように強く訴えた。智はうつむいた。

セラピストは智に、少し小声で語りかけた。

「君は、親孝行な子なんだねえ」

きょとんとした様子の智と母親。

「だって、お母さんの思った通りの子になったんだもの」。セラピストはキッパリ。

「お母さんの思っていた通り、悪いことができるようになったわけだから」。セラピストは笑顔をみせた。

母親と智はしばらくあっけにとられた顔つきであったが、すぐに智がおかしそうに笑顔をみせた。すると母親も、それにつられるように苦笑した。

「智くんは、今後もお母さんの期待通りに、何か悪い事件を起こしたいですか?」。セラピストが智に聞くと、母親がすぐに口を挟んだ。

「ということは、やはり私の育て方が悪かったということでしょうか?」。穏やかながらも、かなり不満そうな口調である。

「いいえ、育て方が悪かったのではなくて、お母さんが自分の思いのパワーを知らなかっただけですよ。お母さんがお腹を痛めて産んだ智くんには、そのおよぶ力は絶大ですもん」

セラピストはここでしばらくの間、言葉や思いが暗示的にいかに人に影響を与えるか、いくつかの例をあげてレクチャーした。驚きや笑いの中、母親と智はこれにすっかり引き込まれたようである。——②

「……つまり、私の智くんに対するカウンセリングだってね、効果があるかどうかはある意味お母さん次第なんですよ」。セラピストが強く指摘すると、母親の緩んでいた表情は再び緊張を取り戻した。

4

母親は眉間にしわを寄せた。

「しかし、こんなことを言うとそれも暗示だと言われるかもしれませんけれども、この子は意思の弱いところがあって、小さい頃からテレビゲームに夢中なんです。ゲーム代欲しさにお金を盗むのですよ。だからそもそも、ゲーム依存というのでしょうか、それが治らない限りどうしようもないのではありませんか？」

セラピストは母親の質問には直接答えず、智に尋ねた。

「智くんは、今まで、どうしようもなく押さえ込まれていたものに立ち向かって、それをなんとか乗り越えたといった経験はありませんか？　不安とか心配とか恐怖とか、ずっと支配されていたものから脱出できたというような」

智は、しばらく考えてから答えた。

「……お父さん、かな」

「えっ？　どういうこと？」。想定していなかった答えに、少々驚くセラピストである。

くわしく聞いてみると、智は幼少の頃から父親が怖くて頭が上がらず、ずっと関わりを避けてきたのだが、今回の事件をきっかけに家族で話し合う機会をもたざるを得なくなり、結果的には初めて父親に自分の思うことを述べることができたというのである。智は、今まではビクビクしていて、なんだか父親に支配されている感じだったけれども、今では家の中が自由な空間になったような気がすると語った。母親も、これを大変よかったこととして認めた。

セラピストは、ちょっとこちらの話題も膨らませたくなったけれども、やはりもとに戻した。

「ほら、思った通り。やはり君は、何ものかにいつまでも一方的に支配され続けるような子ではないね。お父さんに対するのと同じように、ゲームにも、いつまでも支配され続けたりはしない。自分の必要に応じてゲームをしたりしなかったり、君がゲームを支配できるようになる」

この言葉に、智は心なしか背筋を伸ばしたようにもみえた。――③

セラピストは問うた。

「智くん、今後、ゲームとどう付き合うつもりかな？」

「もうゲームにやられることはないです」。智は思いのほか素早く、キッパリと述べた。

母親は驚いたように智の横顔を見て、すがるように問う。

「本当？」

「うん。大丈夫」。智は母親をなだめるような口調である。

5

「お母さん、それでもまだ、正直なところ、カウンセリングなんかで智がよくなるものか、この子はまた同じことをやるに違いない、なんて心の中で強く念じていませんか?」。セラピストは母親をからかうように述べた。

「……はい、正直なところ……そう思ってこちらにきたのですが……」

「カウンセリングなんかで智がよくなるわけがない。この子はまた同じことをする。万引きもする、ゲーム依存にもなる。そのようなお母さんの強力な念波が飛んでくるのに、私がどんなにがんばってみても、そりゃあ勝ち目はありません。だって、お母さんのほうがはるかに強く智くんに影響するのですから」。セラピストはちょっとお手上げ風に無力を装った。母親は真剣な面持ちである。智は、セラピストと母親を交互に見ている。

セラピストは半分おどけたように続けた。

「だから、お母さんが同じことを思い続けるのなら、申し訳ないですが、私はこの仕事を継続してお引き受けすることはできません。さっさと辞退させてもらいます。その代わり、お母さんがその念波飛ばしをやめてくださるなら、責任をもって、問題解決を約束します」——④

智は母親の横顔をじっと見た。母親は、何かを考え込むかのようにわずかにうつむいた。

「……この子は、病気ではないのですね？」

「はい、病気ではありません」

「先生は、解決すると……」

「お母さんが、このカウンセリングで絶対に問題が解決すると信じることができるかどうか。それ以上に、智くんはもう同じことを繰り返さないと本当に信じることができるかどうか。それ次第です」

そしてしばらくの沈黙の後、母親はしっかりと自分に言い聞かせるように述べた。

「……わかりました。私、信じます」

セラピストには、この瞬間、智が表情を輝かせたようにみえた。そして、面接室が光に満たされたようにさえ感じたのである。

この後、今後の面接の契約（定期的な智の個人面接と、必要に応じての母親面接）がなされた。帰る間際、母親がひとつお願いがあると言う。

「できるだけ早いうちに、この子の父親にも会っていただけないでしょうか……」

「もちろん喜んで。でも、どうして？」

「父親も、智の将来のことを大変心配していて、夜、ときどきお酒を飲みながらひとりで泣いているのです。私、父親にも、今日の話を聞かせてやりたい」

こうして一週間後、セラピストは父親にも会うことになったのである。

小論Ⅱ
セラピストの価値観

システムズアプローチについては、名前は聞いたことがあっても実体がよくわからないという人が多いようである。前にも述べたように、システムズアプローチはシステム重視の「考え方」であり、系統立てられた「技法群」ではないからであろう。

システムズアプローチは一九五〇年代頃より家族療法とともに発展してきたため、それが家族療法と同じものだと思っている人もいるようだ。実際、家族療法の枠組みでシステムズアプローチを紹介すると、ある程度のマニュアルを提供できることはたしかであるし、私自身も普及の一助になるのであればと、まるで「家族療法の技法＝システムズアプローチの技法」であるかのような紹介の仕方をすることもしばしばあった。家族療法はそれだけ、システムズアプローチのひとつのお手本としてきわめてオーソライズされたものだからである。

しかし、やはり家族療法で用いられる技法もシステムズアプローチの一部分でしかない。家族療法はたしかにシステムズアプローチ的なるものの代表ではある。しかし、たとえばミニューチンの構造的アプローチは「家族療法のお手本」ではあっても、同時に「システムズアプローチのお手本」でもあるかというと、何かちょっと違うような気がするのである。「阪神タイガースはプロ野球で一番強い」けれども、それでは「阪神タイガースはスポーツ界で一番強い」のかというと、そのようにもみえるけれども何かちょっと違う、それと同じようなことである（タイガースファン専用のたとえ。念のため）。

要は、システム・チェンジを意識しているセラピストの介入は、すべてシステムズアプローチの技法であるといえるのである。またシステムセラピストからみると、セラピーの経過や結果はセラピスト―クライエント間に生じるコミュニケーションの相互作用の産物であるので、すべての心理療法は上手なシステムズアプローチか下手なシステムズアプローチのどちらかだということになる。

システムズアプローチには、このような「メタ理論」としての特性がある。つまり、システミックな考え方もたしかに無数にあるフレームのうちのひとつではあるのだけれども、それはメタ・フレーム（あるフレームを発信することやそのフレーム自体が、場に及ぼす影響についての考え）としての位置にあるのである。

その裏返しとして、システムズアプローチには、臨床心理学が提供してくれるであろうと一般に期待されているはずのフレームが欠けている。つまり、どのようなタイプの心理療法の理論にも普通はみられるところの、「人間観」や「性格論」が欠落している。

人と人の間にある相互作用をどのように見立てるか。システムズアプローチではこれを大変うるさく論じるのだが、肝心の「人」についてはほとんど何も語らない。病理はもちろん、「学習」も「発達」も「成長」も、「無意識」も「抑圧」も「コンプレックス」も、およそ人の内面に関しては、語るべきものが何もないのである。その代わりに、「語る行為」や「語られた内容」が相互作用の中でどのように機能するか、原則的にはそのようなことばかりに注意を払っている。だからこそ、クライエントや家族から発信されるどのようなフレームに対しても適度な距離がとれるともいえるのであるが……。

しかし、実際にシステムズアプローチを運用するセラピストはロボットではなくて人間なのだから、メタ・フレームとしてのシステミックな考え方以外にも、各自何らかのフレーム（すなわち人間観や人生観等）を所持しているはずである。そして、それが何らかの形でセラピーに反映されているはずである。セラピストの価値観がまったく反映されないセラピーなんぞ、あろうはずがない。

私は、セラピストが己の人間観をしっかりと自覚し、それを他者援助の文脈で粛々とぶれることなく実践していくことが、心理療法の本態であろうと考えている。そして多くの場合、そういった人間観は、個々のセラピストが拠って立つところの理論によっておおいに補われるものである。たとえば精神分析家Aは「精神分析のフレーム」＋「Aの個人的フレーム」で彼のセラピーを展開するし、行動療法家Bは「行動理論のフレーム」＋「Bの個人的フレーム」で彼のセラピーを展開する。

しかしながら、繰り返すが、システムズアプローチは人間観や性格論などに関するフレームはほとんどまったく提供していない。よくいうと、システムセラピストはフリーハンドで己の人間観をセラピーに反映させることができるということだが、悪くいうと、システムズアプローチはそのようなものをセラピストに丸投げしているのである。

実は、大学院生など、若い人にシステムズアプローチを指導する際の一番の難しさはこのあたりにあって、やはり彼らの多くは決して人生経験が豊富ではないから、自分の中に確固とした人間観がまだできあがってはいない。そのような人が、「システムを変える」などといった意識であれやこれやと変化の技法を駆使することは、器用な人であればあるほど、ちょっと危険な感じがするのである。この点については、私も若い頃を振り返っておおいに反省しなければならないが、何やら他者の人生や家族をもてあそんでいるかのような（軽くあしらっているかのような）印象を与えるセラピストがいるものだ。これは、「システムさえ変わればいいのだ」といった、不遜な態度の現れといえるだろう。

小さなたとえで示すなら、「ほめる」という行為ひとつをみても、「おやっ」と思う場面がしばしばある。とくに家族療法やブリーフセラピー系のセラピストは大変よくクライエントをほめるのだが、「何を」ほめるのかといったところに、実はそのセラピストの人間観が（むしろ人間観のなさが）露呈するのである。ほめるべきところはどこで、ほめるべきでないところはどこなのか、まるでそのような判断基準はもたないかのように、「何でもかんでもほめまくり」になってしまうような人もいる。それがいいのだというフレームもあるのかもしれないが、セラピストにそれなりの人間観があれば、おそらくこのようなことにはならないはずである。

こうした理由から、私は人生経験の不足した若い人たちにシステムズアプローチを教育するにあたっては、様々な心理療法の理論をきちんと勉強するようアドバイスしている。フロイトやロジャーズをはじめとした先人たちの考え方を学ぶことは、彼らの経験不足をおおいに補ってくれるからである。

ところが、「自分は伝統的な心理療法ではなく、システムズアプローチという新しい考え方を勉強しているのだ」などと気負った学生だと、そういった私のアドバイスには相当面食らうこともある。皮肉なジョークと受け取ったり、私から見捨てられたと思う学生さえいるようだ。

システムズアプローチは、畢竟、心理学でも面接の技法でもなく、「ものの考え方の一作法」に過ぎない。だからこそ別途、その人なりに、豊かな人間知を獲得してもらいたい。そうすることで初めて、「その人なりのシステムズアプローチ」といったものがはっきりと姿を現してくる。私のアドバイスの意図は、こうしたことにあるのである。

繰り返すが、「考え方」であるシステムズアプローチに特定の方法はない。逆にいえば、すべての対人関係上の関わりはシステムズアプローチの方法になりうるし、どのような価値観であっても取り入れることが可能である。

吉川悟がセラピーを行えば、それは「吉川流システムズアプローチ」となり、村上雅彦がセラピーを行えば、それは「村上流システムズアプローチ」となる。本家本元はどこにもない。すべて、個々のセラピストの名前を頭につけて、「○○流システムズアプローチ」、すなわち「システムズアプローチの考え方（メタ・フレーム）をベースに、そのセラピストの価値観（フレーム）を反映させた援助方法」とすることができるのである。

その「セラピストの価値観」は、一〇〇％セラピストのオリジナルであるかもしれないし、オリジナルの価値観とフロイトの思想が七対三くらいの割合で混じったものかもしれない。あるいは、オリジナルと行動理論が六対四くらいのものかもしれないし、場合によっては、某哲学者や某宗教家の影響を強く受けたものであるかもしれない。どのようなものであったとしても、自分自身のフレームをしっかりと身につけていくことが、セラピストとしての成長であろうと思う。

第2章で述べたP循環・N循環の考え方もまた、システムズアプローチの考え方にはまったく含まれてはおらず、あくまで私個人の人間観に過ぎない。それは「東流システムズアプローチ」ということになるであろうが、そのようなフレームを仮にあなたが受け入れれば、とにもかくにもひとつの価値観を手に入れたことになり、それを頼りにシステムズアプローチを行うことができるようになる。まずは、このようなものを真似することから始めてもよいだろう。

本章で示した事例では、母子間にみられたN循環をP循環に変えることだけをセラピストは意識していた。母子間のシステムを「N」と見立てて、「P」に変えようと考えた。クライエントのもつN要素は、「言葉」や「思念」によって循環する。そうして、対人的・個人的N循環を形成・維持し、その中で「問題」を存続させていく。このように考えて、セラピストは母親のN的な言動をP的なものに変えるよう取り組んだのである。

システムはコミュニケーションの相互作用であり、それそのものには本来PだのNだのといった価値や意味はない。しかし私は、P循環・N循環という「セラピストの価値観」を面接場面に導入し、その「価値観」に沿って、システムの変化を促したのである。すなわち、P循環・N循環というフレームを使って、「システム」というメタ・フレームを変化させたのである。

もちろん、読者は何もP循環・N循環だけにこだわる必要はまったくない。それがどのようなものであれ、自分なりの人間知を獲得することである。そして近い将来、「あなた流システムズアプローチ」によって、クライエントのお役に立てるセラピストに育ってほしいと思う。

ディスカッション

本心からリフレーミングする

東　これは、男子高校生の盗癖が主訴のケース。初回は母親と本人、二回目は両親と本人、三回目以降は院生による本人との個人面接が行われ、数回で無事終了しています。

このケースを理解するためのキーワードは、「思念・想念、言葉の威力」かな。人はいろいろなフレームで自他を縛っており、目に見えている現象はその現れに過ぎない。そのようなところを理解していただくために紹介する事例です。

星野　面接では、母親のN的なフレームに挑戦したということでしょうか。

東　「この子は問題の子」「この子はまた同じことを繰り返す」「意志の弱い子」、といったフレームに対してですね。そういうフレームを、あの手この手でリフレーミングしていきました。

初回面接を順番に振り返ると、最初のポイントは、「問題」の経過を智くん自身が述べたことですね。しかも大変わかりやすくしっかりと。セラピストはそれを聞きながら、「これは使える」と思っています。

だからその後、智くんを強調的にほめた。さらに智くんが「もう万引きはしない」と明言したので、セラピストは「すでにこの問題は解決している」と断言しました（①）。

岡田　これには驚きました。ここまではっきり断言してしまってよいものなのでしょうか？

東　ここでの「断言」には、ふたつのレベルで強調すべきことがあろうかと思います。ひとつは、「私の本心としての断言」であり、もうひとつは「面接技術としての断言」ですね。

岡田　本心と、面接技術と……？

東　いつも言う通り、セラピストはひとつの価値観にとらわれることなくあれやこれやの「ものの言い方」を受け入れることができるので、何よりもクライエントの役に立つ文脈に沿ったフレームを提示することが重要でしたよね。相手のフレームに合わせればジョイニングとなり、それを変えようとすれば変化の技法、つまりリフレーミングとなる。

ジョイニングに関しては比較的受け身なので、人の話を中立的に聞く訓練を受けたセラピストであれば、ほぼ誰でも一応はできる。しかしリフレーミングに関しては、ちょっと違います。いくら「ものは言いよう」であると頭の中でわかっていたとしても、それをクライエントに向けて発する限りは、セラピストの中で「それはただのひとつのものの見方ではなく、真実そうであるのだ」という強い意志の働きがともなわなければならないのですね。

中村　そうでないと、言葉に迫力が出ない。

東　そうです。ここに至ってセラピストが中立的であっては、真実味がともなわない。

セラピストの発する言動、とくにリフレーミングは、自分の価値観の垂れ流しであってはならないけれども、いったんそれを中性化・中立化するプロセスを経たうえであったなら、そして、治療文脈においてそれを使うと決めた限りは、今度は「セラピスト自身が本気でそれを信じているか」ということが、その介入を効果的なものにするための、とても重要な要素になるのですね。

たとえばポジティブ・リフレーミングを行うにも、セラピストがその対象とするものを本音のところでネガティブにみていたのでは、どうしても嘘くさくなる。というか、正味の話、セラピストは嘘をついたことになりますね。まあ嘘も方便ですから、「クライエントのために」という出発点があるなら倫理的にどうこうとまでいう必要はありませんが。

しかし、やはり真実味がともなわない分、伝わり方は弱い。皆さんも、たとえば幼少期の体験が性格を形成するなんてハナから信じていない精神分析家に精神分析を受けてみようとは思わないでしょう？　まあ、そのような人はそもそも精神分析家にはなっていないでしょうけれども。

例外があるとすれば、セラピストがよほど権威のある人で、どんな発言でも意味深くありがたく受け取られるような文脈があるか、あるいはクライエント側にその内容がヒットする何らかの事情がすでにあるような場合です。

中村　セラピストとクライエントが、すぐに共有できる何か。

東　そう。たとえば先の過食症の事例では、私の中にリフレーミングの真実味があったのはもちろんですが、実はクライエントの側もそうしたフレームを密かにもっていたわけです。だから抵抗なくどんどん進んだ。
この万引きの事例で「すでに問題は解決している」と言ったのも、私の本音・本心であり、決していい加減なことを言っているのではない。クライエントを喜ばそうと思って、心にもないことを言ったわけではないのです。

星野　つまり、東先生がそのように断言するから私も真似してみようとは……。

東　口先だけなら、絶対にしてはならない、ということです。

人の本質はオールP

星野　どうしたら、先生のようなことを本心から思えるようになるのでしょうか。それが不思議で仕方ありません。私だったら、この子はまたやってしまうのではないかと、母親と同じような不安をもってしまいそうな気がします。

東　うん、これを話し出すとまた宗教っぽいって笑われそうだけれども。P循環療法の枠組みで言いますとね、要するに、人の心の中にはP要素とN要素があると言ったけれども、実は人の本質はオールPであり、Nはどこにもないと考えてみるといいのですね。

岡田　えっ？　Nがない？　私、Nいっぱいあるのに。

一同　（笑）

東　そのような君であっても、本体は、まあたとえてみれば水晶玉で、その表面に絆創膏がいっぱい貼ってあると考えてみる。水晶玉がPで絆創膏がN。つまり君の本体はPの固まりである。Nはその表面に貼りついているだけのものであって、それはまったく君の本質ではない。こう考えてみるのですね。

岡田　じゃあ、私がクヨクヨしたり不安になったり、悪いことを考えたり、それからいろいろな欠点などは？

東　それもただの絆創膏。はがせばおしまい。

星野　うーん……。その絆創膏もまた、自分の本質の一面ではないのでしょうか？

東　本質だと勘違いしているだけです。本質だと思うから、いつまでたってもそこにある。しがみついて離れない。

しかし、どんなに強く貼りついていようとも、それがただの絆創膏であるなら、その気になればはがすことができる。いかに深く食い込んでいるようにみえても、あるいは絆創膏だらけでその下の水晶玉がまったくみえないほどになっていても、はがしてしまいさえすれば、しっかりとPの水晶玉が現れてくる。それこそが人の本質であると考える。

岡田　うわあ、すっごい性善説。

中村　Nの外在化ですね。

東　その通り、その通り！　いやあ、よく気がついたね。小躍りして喜びたいですねえ。

まずはセラピストにそのような観点があってこそ、用いた外在化技法が真実味のあるものとなり、いっそう効果的になるわけです。

「虫退治」にしても、これは「問題はすべて虫の責任」だというリフレーミングですが、治療経過の中でいかにも「問題」がクライエントに内在しているかようにみえる現象が現れてくると、クライエントや家族はもとのフレームに戻ってしまいやすい。だからセラピストは、「そのように思わせるのも虫の仕業」と、徹底して外在化を行わないといけない。しかしここでセラピストに、「そうはいっても、やはりこの子の性格の問題だよねえ」というような本音があると、迷いが生じてしまい、どうしても介入に力強さがともなわなくなる。こういったことを契機に、外在化のフレームは壊れていくのです。

吉田　先生は、本気で「虫がついた」と信じている?

東　いいえ、「虫がついた」と本気で思うことが大事なのではなくて、クライエントの本質はオールPであり、Nとみえるものはすべて絆創膏であるからはがしてしまえばそれでおしまい、という信念がセラピストにあるかどうかなのです。虫退治の場合、「虫」イコール「絆創膏」ですね。本気で虫がついたなどと信じていたら、ちょっと危ないセラピストでしょう?

中村　絆創膏も十分に危ない……。

東　（笑）とにかく、このような信念を私は大変強くもっているので、どんな時でもクライエントが否定的にみえることがありません。クライエントのN的な語りを聞いていても、「この人はたまたまNの絆創膏を貼っている」と思うだけで、それがその人に内在的なものであるとは受け止めていないのです。このフレームは、私の一番の宝物なんですね。

面接中、あのタイミングで「すでに問題は解決している」と言ったわけですが、実は心の中では、私は面接が始まる前からそのことを断言していたのです。

岡田　えっ、始まる前から？

東　はい、面接が始まる前からですよ。会ってみてから、この人はどうだろうかといったことではないのですね。どのようなクライエントでも、現象的にどのようにみえようが、本質は常にPである。私の本心では、彼は会う前からすでに「問題のない人」なのです。

ただし、それを実際に言葉にする時は、「面接技術としての断言」ということになります。いつ、どのようなタイミングで、どのような段取りで、この絆創膏をはがしてやろうかと考える。絆創膏は、やはりはがし方によっては痛いし、かえって傷がつく場合もある。はがされることに抵抗を示す人もいる。だから慎重に、しかしある時は大胆に、場の展開をみて上手にはがさなければなりません。つまり、それが相手に受け入れられるかどうかという、その場の展開を判断して断言する。これが、面接技術としての断言です。

藤本　ここでの先生の断言は、状況的にみて相手に届くと判断したからこそ。

言葉の力

東　そうです。しかし実際は、もうひとつ狙っていたことがあります。

吉田　もうひとつの狙い？

東　「言葉」には大きな力があります。とくに親や、学校や病院等の「先生」が発する言葉の威力たるや絶大です。

この時点での私のアセスメントは、この少年も含む関係者一同が、「少年は問題の子どもである」というN的な思念・言葉による一大相互作用によって、「問題」を現出・維持させているというものでした。そこでまずは、少年自身のフレームを変えることから始めたわけです。

もちろん、リフレーミングが入りそうな文脈があったからこそですが、面接中盤、「ゲームによる支配」あるいは「支配から自由になること」といったテーマで、どんどんリフレーミングを試みていますね。セラピストの読み通り、少年は大変よい表情をみせ、リフレーミングを受け入れようとしました〔③〕。この時点で、治療は半分終わったも同然です。少年に関しては、この新しいフレームに沿ったコミュニケーションを一貫して行っていけばいいのですから。

しかし、大事なことは、この「問題」が少年だけで維持されてきたわけではないということです。少なくとも、目の前にいる母親は、N的な思念や言葉の虜として、少年に大きな影響を与える存在でした。もちろん、母親は自分の子どもを悪くしてやろうなどとはまったく思っていません。しかしわが子を愛する気持ちとは裏腹に、結果的に少年をN的なフレームで縛っていたのですね。

吉田　私の親も、私にしっかりしてほしいからこそ、「お前はバカだ」としょっちゅう叱ってくれました。おかげでバカに成長しました（笑）。

東　（笑）そのような母親にとって、セラピストが少年をほめることや「問題は解決している」などと述べることは、「母親の心配」への配慮の足りない、「現実」を知らない第三者の、実に軽率な発言に映るでしょう。つまり、この発言をしたセラピストのもうひとつの狙いは、母親に対するこのような挑発でもあったわけです。

岡田　挑発！

東　母親へのリフレーミングは、実はこうした挑発から始まったのです。案の定、母親はそれに驚いて食ってかかりましたね。「この子は精神科で病気だと言われてきたのです」、と。セラピストに不信の目を向けながら、自身のフレームをいっそう強調して語り始めました。

吉田　この母親の反応は予想されたこと？

東　そうです。この後、母親から「小さい頃からいい子だったが、これは本当の姿ではない、そのうち悪いことをすると思い続けてきた」というエピソードが語られますが、セラピストは少年に対して「君は親孝行な子だ。親の期待通りになった」などと述べています。一見ポジティブ・

リフレーミングともいえますが、実は母親への挑発ですね。続けて「今後もお母さんの期待通りに悪い事件を起こすか?」などと問いますが、これも同様です。

そして、挑発されることでますます明確になる母親のフレームに対して、セラピストは積極的にリフレーミングを行っていきます。

中村　セラピストは、言葉の力について母親に教育的に関わっていますね〔②〕。

東　そうです。セラピストがいくらがんばっても、母親の思念や言葉の力には勝てないと説明しています。だから、本当に解決を作る力があるのはお母さん、あなたなんですよ、と。

岡田　これ、お母さん、嬉しかったでしょうねえ。

東　実際、そんな様子でしたね。そこで、この文脈で、母親と取引を始めたわけです。

星野　取引?

東　「あなたがフレームを変えるのであれば、私が少年をなんとかしましょう」という取引です。

絶対に解決することを約束するが、お母さんが「ここに続けて通っても、この子はよくならないのではないか。また万引きをするのではないか」と思っている限り、セラピストはうまくお手伝いができない。お母さんの念力が一番強いのだから、セラピストはそれに勝てない。だから、あなたが「絶対にこの子の問題はこれで終わりだ。これからは同じことが起きない」ということを本当に信じるなら、私はこの問題の解決を約束します。と、このような展開でしたね〔④〕。

でも、これ、実にずるい取引ですね。母親がフレームを変えれば、セラピストが何もしなくても少年は変わってしまうのだから。

吉田 インチキ～！

中村 さっきは「もう解決している」と言ったり、これから解決するような話になったり、一体どっちなんだ（笑）。

東 本当ですねえ（笑）。しかし細かいことは気にしない。流れが大事です。

で、母親は思い詰めたようにしばらく何かを考えていましたが、ついに、「わかりました。信じます。これから、この子はこの問題を起こしません」ときっぱり述べました。

藤本 三回目以降を引き継いだ院生が言っていたのですが、初めて自分ひとりで面接した時、つまり三回目には「すでに終わっていた」感じがしたそうです。

東 まあ、初回で終わっていたといえば終わっていたのですけど、そうはいっても、私の意図をきちんと理解して、その方向性で面接を継承してくれた院生との連携があったからこそ成功した事例です。院生の力も大変大きく作用しているのですよ。

藤本 でも、初回面接でほとんど終了？

東 そうですね。私の中では初回で大きな文脈形成は終わっているから、二回目以降の面接にはそれほど大きな意味はない。初回の最後に「父親とも話してほしい」と頼まれたから、二回目に父親からもお話を聞いたけど、初回の延長でしかありません。

星野 父親が来所したことは、それほど重要ではなかった？

吉田　日頃、父親がどのような「念波」を飛ばしているか、そこのところを観察したかったというところでしょうか？

東　そうそう、父親の「念波」の強さを（笑）。初回の母親同様、すごく否定的な思いをもっていたらそれに挑戦しようと思っていたけど、そうでもなかったのですねえ。母親が「父親は家でこの子の将来を憂いてときどきひとりで泣いています」などと言うから、これは父親も相当N充満状態であろうと思ったのですが。

ただ、初回の最後に「父親も連れてくるので先生から話をしてやってほしい」と母親が述べたことで、ひとつにはこの初回面接がうまくいったことが確信できたし、もうひとつは、この母親が自宅に帰って、面接で獲得したP要素を振りまき、父親を感化するのではないかという期待もできました。

中村　初回面接の影響で、母親が家庭でP循環を起こしたかもしれない。

東　そう。実際、父親は母親から話を聞いたようで、すでに変わっていたようにみえましたね。

だから二回目は、初回面接のような大胆なリフレーミングはまったく必要なくて、父親の話をよく聞きながら面接室をP循環で満たすような工夫だけ。つまり、P要素への関心を示すことと、P要素を引き出すような質問をすること、そしてポジティブ・リフレーミングの多用です。いわば、非指示的P循環療法ですね。初回面接のような挑発や取引、説得などといった技術を用いてのリフレーミングはまったく必要なかったということです。

押す時は押し、引く時は引く

星野　それにしても、結果がいいから何となくこんなものかなとも思えますが、セラピストはいくつも「危ない橋」を渡っているようにもみえます。そこを安全に渡る、何かコツのようなものがあるのでしょうか？

東　会話はいつも慎重に進めていますが、だからといって「危ない橋」とはまったく認識していません。面接中、そのような意識をもっていると、本当に「危ない橋」になりますねえ。これもまさに想念の問題です。

　不思議なもので、セラピストがクライエントの中のN要素を意識していると、現実にクライエントのN要素が出てきやすいのです。逆に、P要素を意識していると、現実にP要素が出てきやすい。セラピーそのものについても同じことがいえて、失敗するのではないかとビクビクしていると失敗する方向の流れができてしまう。成功するという自信があると成功する方向に流れていく。「思い」が、善かれ悪しかれ現実を構築する源になるのです。「心に思った通りの現実ができあがる」、などと言うとまた宗教的になりますが……。

中村　きましたね（笑）。

東　釈迦は「唯心所現」という言葉で、まさにこのようなことを言わんとしている。イエス・キリストも、「芥子種ほどの信仰でもあったら、この山に海に入れと言えば海に入るのだ」あるいは「汝の信ずるごとく汝になれ」というような表現で、「思い」の強さが現実を作るのだと、こう言っているわけです。

さっきも言いましたが、言葉のうえではポジティブ・リフレーミングしていても、セラピストが本音のところではクライエントと同じようなネガティブ・フレームに凝り固まっていたら、これは思いと行動の不一致になってしまう。

藤本　本当はそう思っていないけれど、ポジティブ・リフレーミングが大事だと教えられたので、がんばってそのようにしている、みたいな感じ。

吉田　ある、ある。上滑りの感じ。

東　外在化もそうでしたね。心のともなわない言葉で新しい現実を構成するのは、なかなか困難です。

星野　それにしても、この事例の母親はずいぶんあっさりと変わったような気もします。先生の説得力もあるのでは?

東　私の説得力と言うけれど、もちろんいつも一回で劇的な展開を起こせるということではありません。ただ、それにどれくらいの時間がかかるかは別にして、何度も言いますが、智くんに対してであれ母親に対してであれ、「人は本来オールPである」とまずはセラピストが心の深いところで信じることが大事です。そのうえで、「なんとかなる」と思えるかどうかが大きなポイント。

　そのためにも、ある現象をポジティブにもネガティブにもリフレーミングできる力がまずは必要です。そのうえで、どのフレームを選ぶかをプラグマティックに、実用主義的に考える。そしていったん選んだら、それをセラピストとして、深く本気で思い込む。

　しかしだからといって、いついかなる時も「なんとかなる」と楽天的であればよいということではありません。なかなかクライエントに入らないとなったなら、いったんは撤退することも必要。自分にはどうしようもないと、自然とわきあがる思いがあるなら、それを無理に打ち消して強引な動きをしてはいけない。引き下がる時は引き下がる、そこのところの判断が重要です。

　ここでは押せない、ここでは押せるというのは、そのときどきのセラピストの力量の問題でもあるし、直感力の問題でもある。ひとつの大きな判断基準としては、「セラピストとクライエントが共同でよい変化を作っている様子」がきちんと脳内にイメージできるかどうかですね。上級者になると、このようなことが場面に応じて瞬時に行えるようになります。

吉田　一〇〇年かかりそう……。

藤本　でも、それがセラピストになるということ！

吉田　しかし、「思いが現実を作る」というフレームが自分の中にできてしまうと、クライエントに「その考え方を変えなさい」「思った通りに、言葉に出した通りになるのですよ！」なんて、すぐに説教しちゃいそうです。友達なんかと話す時だったら、それでもいいのかなと思いますけど、心理面接ではやはりだめですよね？

東　よけいに落ち込ませてしまうかもしれませんね。

星野　でも、母親面接をしている時、そう言いたくなることが実に多いです。

吉田　ふわっとでも、言ったらだめですか？　ふわっとでも。

東　（笑）だから、言っていいかどうかは文脈次第ですね。セラピストがそのようなことを言っても大丈夫という展開になっているかどうかです。この事例では、そのあたりを読み込んでほしいと思います。

状況に関係なく効果が出るのなら、私だってすぐに言いたいですよ。「息子が不登校です」ってきた母親に、「お父さんを大事にしなさい！」「ご主人に対して感謝しなさい！」ってね。

中村　自分の奥さんにも言いたい！

東　ホント、すごく言いたい。こらこら。

一同　（笑）

東　文脈を考慮せずにそのような安直な発言をすることは控えたほうがよい。そのように言っても問題ない展開を作ることが優先です。まずは文脈を形成しましょう。展開を作りましょう。

星野　そこのところが練習の最大のポイントなんですね。

「見立て違い」はあってもいい

星野　私みたいな新米が「リフレーミングにチャレンジしたい」と言ったら、どういうアドバイスをくださいますか?

東　基本はやはり、「いつ頃からそんな思いにつかまってしまったの?」「何の影響でそのような思いにひっかかったの?」「その思いはどのようにあなたをそそのかしにやってくるの?」「その思いはあなたをどのように支配してしまうの?」「その思いはあなたにどんな害を与えてくるの?」「その思いに打ち勝てたことはあるの?」といった質問をすること。クライエントのフレームを外在化・相対化することで、そのフレームと距離をとらせる。クライエントの思いはひとつのやっかいなフレームに過ぎない、という方向づけを無理なく行っていく、このような運びがまずは基本でしょう。単純に「あんさん、そんなフレームもってはったら損でっせ、やめなはれ」ではいけない。

　リフレーミングは、コツコツやるのが基本です。手早くすることも、しようと思えばできますけどもね。

藤本　でも私たちは、手早い作業はなかなかできないから、ゆっくりとやっていくことが大切なんだろうなと思います。

東　そういうことです。慌てず、功を急がず、少しずつ進める意識をもってください。

吉田　先生はスピードが速い。

東　できる限り初回面接でなんとかしようと思っています。もし三回かけてもどうにもリフレーミングできないのなら、それはもう自分がセラピストとしてアウト。そう思っている。

一同　厳しい〜！

東　自分についての話ですよ。皆さんにはまだ同じことを要求したりしません。でも、「見立てと方針」に関しては別。初回五〇分の面接が終わった後、クライエントのフレームがどのようなものであり、何が起きているか、そしてセラピストはどのようにリフレーミングしていく算段なのか、このようなことを私に報告してくれないと困ります。

一同　……。

東　慣れてくると、五分くらいで見立てができるようになる。そうなると、面接開始五分後であっても、文脈によっては、じゃんじゃんリフレーミングの作業に入れる。それが、五〇分間も面接したのに「見立てができない」なんてことでは、もう面接する資格なしですねえ。私だったらすごく恥ずかしい。この仕事を辞めようかなと真剣に思う、そのくらい情けないこと。

星野　見立てのコツはありますか？

東　頭の中で難しく考えずに、目の前で起きていることをしっかり観察すること。これにつきます。臨床心理学や精神医学やその他いろいろなことをきちんと勉強することは大事だけれども、あれやこれやで賢くなりすぎて頭の中が複雑になり、何をどのように考えたらよいか、わけがわからなくなってしまうことがある。それよりもごくシンプルに、「クライエントのフレームを見立てる」といった意識だけをもつようにする。「クライエントが持ち前のフレームで自他をどのように縛っているか」あるいは「相互に縛り合っているか」、そのような観点をしっかり全面に出して見立てていく。このような割り切りがセラピストの中にできると、見立ての作業はうんと早くなる。これは保証してよいです。

吉田　賢くなりすぎたらだめなんですね！　やっぱりバカでよかったあ。親に感謝！

東　いやいや（笑）、臨床心理学などの知識を幅広く吸収しつつも、それはそれとして、「フレームの見立てとリフレーミング」、これ一本で勝負できるようになってほしいということなのですよ。それは、「いろいろな価値観をいったん全部捨て、そのうえで自分の価値観をもつことが大切」というのと同じ理屈です。「東流のアプローチさえ知っていればいいのだ」などと、傲慢な勘違いをしないようにしてくださいね。いろいろと勉強したうえで、それをいったん脇において、単純にフレーム・リフレーミングの観点から現象をみる。そうすると必ず、大変早期に、それなりに厚みのある、何がしかの見立てができるようになるということです。

星野　最初の見立てが絶対ではないんですよね？

東　もちろんです。「見立てられない」ことは許しませんが、「見立て違い」はあってもいい。

吉田　修正可能だと思っていればいいですか？

東　修正どころか、ポーカーでいったら五枚総換えもありですよ。一枚や二枚を換えるんじゃなくて、総換え。最初の自分のもち札にはこだわらない。でも、最初の札さえ手に取れない人や、せっかくのもち札の見方がわからない人もいる。それではいかんなということです。

「カード五枚もらったけど、これ、どうみたらいいの？　1、2、3、4、5って並んでいるけど？」。いや、それフラッシュやろ！

一同　（笑）

吉田　よし、まずはポーカーの練習からだ！

東　ぜひ、がんばってください。さあ、今回はこれでいいですか？　はい、ありがとうございました。

第5章　息子の不登校／両親面接

初回面接

1

不登校気味の息子、たかしの件で、両親が来所した。

面接室に入る時、父親が母親をエスコートする。

セラピストに挨拶するふたりは硬い表情であるが、上品な立ち居振る舞いで、折目正しくセラピストに応対する。

面接全般にわたって、母親は表情や身振り手振りが豊かである。父親は穏やかで冷静な話し振りであるが、どこかよそよそしい雰囲気がある。

形式通りの挨拶の後、セラピストはふたりを交互に見て尋ねる。

「さて、こちらには、どちらのご紹介でお越しになりましたか？」

少しの沈黙の後、母親が父親に目をやる。それに促されるように、父親がゆっくりと話し始める。――①

「実は、小学一年の息子、たかしが学校に行きたがらないのです。行った日でも、学校で暴れたり、途中で帰りたがるということがありまして……」

母親は、父親の話に何度も軽くうなずいている。父親は続ける。

「それで心配になって、妻が近くの心療内科に」

少しの間があり、母親が父親の話を継ぐ。

「そこのお医者様から、東先生を紹介していただきまして」

セラピストは母親と視線を合わせ、質問を続ける。

「そうですか。その心療内科へは、お母さんがひとりで？」

「はい、そうです」

「今日ふたりでこられたのは、そちらの先生から、ふたりで行きなさいと言われたの？」

母親はまた父親に視線を送る。それに合わせて、セラピストは父親を見る。父親は、それらに促されるように話し始める。

「今日は、一緒にきてほしいと妻に言われまして」

「そうなんですか?」。セラピストが母親に問うと、母親はすぐにこっくりとうなずく。セラピストは改めて父親に向かって、

「お仕事などは調整していただいて?」

「はい」

「そうですか。それはよくきていただきました」。セラピストは再び両親を交互に見ながら、

「それでは、現在の状況を、どちらからでも結構ですので、教えていただけますか?」と問う。

両親は顔を見合わせる。

「お父さん、話してくれる?」。母親が遠慮がちに父親を促す。そして、父親がおもむろに口を開く。

「学校のことはだいたい妻に任せていましたから、私は細かいことはわからないのですが……。この四月に一年生になって、初めの頃は登校していたんですが、そのうち、朝グズグズ言うようになりまして。それでも無理に行かせていたんですが、一一月くらいから途中で帰るようになって……(中略)……担当の先生とも、家内がいろいろ話したんですが、一度病院に相談に行ってみてはどうかと言われまして」

セラピストは母親を見て、

「病院？　といいますと？」

母親は担任とのやりとりをあれこれ説明した後、

「結局、学校の先生は、親が甘やかしすぎたのではないかと……」。顔をわずかに歪め、父親を見る。

2

またそれに促され、しかし今度はかなり躊躇しながら話し始める父親。

「その息子というのは……家内の連れ子なんです。私たちは、再婚なんですよ」

「なるほど」。セラピストはこれを軽く受け、両親を交互に見る。

「今日も、主人はあまりきたくなかったと思うんです」。母親は、それだけ言うとうつむく。

セラピストは、父親に尋ねる。

「たかしくんは、今日ご両親がここにくることは知っていますか？」

「いや、知らないですね」。父親は即答する。

続けてセラピストは母親に問う。

「今日の面接は、奥さんがご主人にぜひきてほしいとお願いされたのですね。勇気が要りましたね？」

「私としては……」。母親はいきなり声を詰まらせる。

「……この人と一緒だったら幸せになれると思って一緒になったのだから、子どものことも一緒に悩んでほしいと思っています。だから……」。母親は今にも泣き出しそうな表情になる。父親は少し驚いたような様子。

「だから……、私の、私のわがままなんですけど……、ここにきてもらうのは当然と思うように努力して、思い切って頼みました。はい」。母親は、最後はきっぱりとみずからを納得させるかのように深くうなずく。

「ご主人の反応はどうでした？」

母親は父親の顔を見る。

「なんか……いやそうでした」。母親は、あっという感じでうつむく。父親は苦笑いする。セラピストはすぐに父親に問う。

「奥さんはそのようにおっしゃいましたけど、信じてもいいんでしょうか？」――②
「そうですね……。まあ正直なことをいうと、そういう気持ちもちょっと、ありますね」。父親は軽く笑いながら言う。セラピストは、続けて父親に問う。

「今までは、こういう感じの、ご主人の出番っていうのはなかったのね？」

「はい」。父親が答える。

「じゃあ、こういうことにはあまり慣れておられないわけですね？」

「そうですね。私が学校に行ったりとか、話を聞くとか、そういうことはなかったですね」

「おふたりが結婚されたのは、いつ？」

「二年前です」

「この間は、ご主人がご活躍されなくても、奥さんがひとりでやってこられたの？」

「はい」

「すごいね」。セラピストは驚いた様子で母親を見る。母親は少し笑顔をみせて言う。

「いい子だったんです。すごく元気で、幼稚園の先生も友達も大好きで、私の中ではとてもいい子でした」

セラピストは続けて母親に問う。

「じゃあ、ご主人に『ちょっと助けて』なんてことは、この二年間はなかったのね？」

「はい。でも再婚前は、運動会なんかがあると、父親参加の競技があったりして、そんな時は『お父さんがいてくれたらなあ』という気持ちはすごくありました。それで、この人に出会って、この人ならいいお父さんになってくれるかなと……」

「ご結婚されて、ご主人とたかしくんはどんな様子でした？」

「子どもともとてもよく遊んでくれて……。主人は、テレビゲームが好きなんですよ。子どもと一緒にゲームをしてくれて、主人も楽しそうで、息子も嬉しそうでした」。母親は表情が緩む。

「そうでしたか」。セラピストも表情を緩め、両親を交互に見る。

セラピストは父親と、どのようなゲームを楽しむのかなど、いくつかのやりとりをし、最後に次のように問う。

「たかしくんには、教えがいがありましたか?」――③

「そうですね。教えた分だけ、上達しましたね」。父親は満足そうに答える。

「いろいろと指導するうえで、とくに手のかかる子だということは、これまではなかった?」

「そうですね」。父親は笑顔をみせる。セラピストは、父親のほうに少し身体を乗り出して問う。

「ということは、たかしくんのことで、父親として真剣に『一肌脱がんといかんな』というのは、二年間で今回が初めて?」

「うん、そうですねえ……」。父親も、身体を乗り出して考え込む。

「……たしかに今までは、そういう場面は、なかったですね」

ここでセラピストがもう一言父親に言葉がけしようとすると、母親が口を挟む。

3

「私は……元気だったたかしが、小学校に上がった時から、問題を起こすようになってしまったのは、やっぱり、私が主人と再婚したのがよくなかったのかなって、ずっと思ってたんですけど……」。母親は、胸の内を振り絞るかのように、ゆっくりとときれときれに語る。

セラピストは、驚いたように母親に問う。

「再婚がよくなかったんじゃないかというのは、誰かにそういうことを言われたの？」――④
「なんとなく、私が勝手に、そう思っていただけです。私が自分の幸せのことだけ考えて、たかしのことを考えてなかったんじゃないかって……。自分を責めていたところがあったんです」

セラピストは少し同情的なニュアンスで、

「ずっと自分を責めてきたんだ。そうだったんですか」

「はい」

「でも、今はもう考えが少し変わったのね？」。セラピストは口調を切り替え、あっさりと問う。

「はい。ゲームのことなんて思いつきもしなかったので、今のような話を聞くと、やっぱりいいこともあったんだなって、ちょっと安心したというか……」。母親は少し表情を緩ませる。

セラピストは父親に問う。

「ご主人は、奥さんが、再婚したことが悪かったのではないかと自分を責めていたこと、知っておられました？　私は今聞いてびっくりしているのですが」

「いいえ、再婚したことが今の息子の状態と関係していると妻が思っていたというのは、考えていませんでしたね。今、初めて聞きました」

「ご主人自身は、そのように思うことがありますか？」

「いいえ、私はそうは思わないですね」。父親はあっさりと言う。

「ＯＫ、よかったです。安心しました」。セラピストはふたりに微笑む。母親はハンカチで口元を押さえながら、軽くうなずく。

「もうその思いは薄まりましたね？」。セラピストは母親に笑顔で確認する。

「はい。……はい」。母親は顔を上げ、少し笑顔を浮かべ、きっぱりと返答。

4

セラピストは流れを切り替える。

「では少し話を戻しますね、いいですか？」

セラピストは、両親がうなずくのを確認して、両親を交互に見ながら問う。

「結婚されて二年、これまで奥さんは、たかしくんのことではとくにご主人に頼らず、ほとんどひとりでやってこられたわけですね。だからご主人にとっては、今回がほとんど初めての父親としての出番のようですが、子育て以外のことではどうでしたか？　ご主人に頼るような場面は多かったですか？」

「日々の生活のことも、すべて私がなんとかしてきました」

セラピストは父親にも問う。

「ご主人は、何か記憶がありませんか？　奥さんから頼まれたこと」

「うーん、これといってなかったと思いますねえ。私は仕事をして稼いでくるのが役割、という感じで、あれをやってほしい、これをやってほしいと言われたのは、思い浮かばないですねえ」

セラピストはちょっと驚いた顔をみせる。

「奥さんは、もともとすごく遠慮深い人なんですか？」

「うーん、そうですね。私に対しては、あまり何も言わないですね」。父親が答える。

「ご主人にはちょっと失礼なことを、奥さんに聞きますけど……」。セラピストは父親に断ったうえで、母親に問う。

「ご主人って、何かを頼むとすごく怒る人なの？　机をバーンとひっくり返したり、大声で怒鳴ったり？」。セラピストは大げさなジェスチャーをみせる。母親は軽く笑って答える。

「そんなことはないですけど……」――⑤

母親はもじもじしながらしばらく沈黙を続けるが、やがて、

「なんか、迷惑かけたらいかんなという気持ちがあって……」。母親はちょっと苦しそうに、胸を軽く叩く。

「迷惑をかけたくないという気持ちが強かったのですね？」

「はい」。セラピストの問いかけに、肯く母親。

続けて、セラピストは父親に問う。

「そのことを、ご主人は知っておられましたか?」

「今まで意識することはなかったですね。家のことはちゃんとしてくれてるし、何か辛抱しているような素振りもなかったので……。今、話を聞いて、そういう気持ちもあったのかなと思いましたけど、普段は考えてませんでしたね」

母親が話を継ぐ。

「たかしが学校に行かなくなるまでは、生活全般にわりと平穏に日々が過ぎていたんです。でも、こういうことが起こってみると、主人は相談しても無関心で、上の空で聞いている感じで……。とくにたかしのことは、そんな感じがするんです。そのたびに、『やっぱり実の子ではないからだ』と思ってしまって」

表情を曇らせる母親に、セラピストが問う。

「そんなふうに考えていたのですね。だから、奥さんはたかしくんのことではご主人に遠慮してきたのね? 迷惑をかけてはいけないと」

「はい」

「その意味では、今日は本当にものすごく思い切って、一緒にここにきてもらうことを頼んだのですねえ」

「はい」

「こんなこと、この二年間で初めてでしょう?」

「はい。初めて」

「よく思い切ったね」

「はい」。母親は返事のたびに声が大きくなり、最後は笑顔をみせる。

「ご主人も、それに応えてよくきてくださいましたねえ」

「はい。でも、こうして聞くと知らなかったことが多くて、驚きますね」。父親は、恐縮したように言う。

5

セラピストは父親に問う。

「今後も、奥さんはご主人に遠慮する必要がありますか？」

「うーん……。正直、結婚した時点で子どもがいたわけで、その子と完全に親子だという思いをもつのは、一〇〇％は無理だったんです」。父親は、母親とセラピストの顔色をうかがう。

「はい、そりゃそうでしょう。誰でもそうだと思いますよ」。セラピストはこれを軽く流す。

「だから、そういうわだかまりがゼロとはいいませんけど、でも、そのことと子育てに協力するというのは別の話なので、私に遠慮する必要はないと思います」

セラピストはその発言に飛びつくように、

「奥さんが遠慮なさる必要はないのですね？　間違いないですね？」

「はい、そうですね」。父親はきっぱりと言う。

「いろいろと要求をされる奥さんでもＯＫなんですね？」

「内容にもよりますけど」。父親は微笑む。

「いやあ、よかった。実は私も先ほどから、奥さんと同じ気持ちになっていたんです。カウンセラーとして、ご主人に何かをお願いすることを遠慮するような気持ちになっていたんですよ。もし奥さんが、どうしてもご主人に遠慮があるというのであれば、私も無理にご主人にお願いごとができません。だから私は奥さんの気持ちを受けて、それに応じていろいろとご提案をしていきたいんです」――⑥

セラピストは、母親を見て続ける。

「ご主人はあのようにおっしゃるけれども、奥さんのお気持ちとして、私から何かご主人にお願いをしても大丈夫でしょうか？　それとも、私も遠慮する必要があるでしょうか？」

「……大丈夫な人だと思って結婚したんです。……けど……」。母親は、父親の顔をちらっと見る。セラピストは母親を凝視する。

「けど？」

「けど……」。母親は下を向く。

「これ以上頼むのは、やめておきます？　せっかくここまできたのに？」。セラピストは少しおどけてみせる。

「けど……、ここにきてくれたから」。母親はもじもじする。

「それで十分なんだ」。セラピストはますますおどける。母親は笑う。

「いいえ。気持ちは前向きだと思うので……一緒に……もっと考えてほしいと思ってます」

セラピストは間髪入れず問う。

「どんなことを考えてほしい？」

セラピストはすぐに続けて、父親のほうにも身を乗り出す。

「ご主人！」

「は、はい」

「もしも、それは無理だということが出てきたら、早めにおっしゃってくださいよ」

父親は微笑んでうなずく。

これを見て、セラピストは母親にもう一度問う。

「どんなこと？」

「今は、子どものことや学校との対応は、私ひとりでやってるんです。それは私の仕事で、主人は別のところにいるような感じで。私は、『お前の好きしろ、お前の子なんだからお前がちゃんと育てろ』って言われているように感じてしまって。俺は関係ないよ、みたいな……。そうじゃなく、何かあった時は、主人にもいろいろ一緒に考えてほしいです」

セラピストは母親のほうに椅子をずらして接近する。

「そのようなことを、私からもご主人にお願いしてもいいでしょうか？　それとも、まだ早すぎますか？」——⑦
父親とセラピストの顔を交互に見てもじもじする母親。それを見た父親が、小さく声をかける。

「いいんだよ」

セラピストはその父親の言葉にうなずき、母親に再度問う。

「奥さんはどう思う？　ご主人にお願いしても大丈夫？」

「主人が、そう言ってくれるなら」。母親もしっかりうなずく。

6

セラピストは気分を切り変え、両親に語る。

「では、私からのお願いがあります。息子さんの問題を解決するために、これから一〇回の面接をしていきたいんです。その一〇回のうちに、たかしくんの問題はほぼ解決することをお約束します。ただし、その一〇回の面接に、毎回おふたり一緒にきていただきたいのです」

セラピストは母親に向かって問う。

「奥さん、まずはそのことをご主人にお願いしてもいいでしょうか？」——⑧

「……きてくれると、思います」。母親は期待に満ちた表情で言う。セラピストは母親に指示を出す。

「ご主人に聞いてみて」

母親は父親に、恐る恐る問う。

「お父さん、休み、とれる?」

「どうしても無理な時以外は、うん、大丈夫」

「本当?」

「一緒にくるよ」

母親の表情はぱっと輝く。

「だそうです!」。母親は、セラピストにとても嬉しそうな笑顔を向ける。

「それでは、これから一〇回、お目にかかりましょう。もし一〇回目に、何かやり残したことがあれば、必要に応じてもう数回の再契約をしましょう」

セラピストは両親と約束する。

7

セラピストはもうひとつ、先に進む欲を出す。

「それから、次にきていただくまでの間に、とりあえず早急に解決しておいたほうがいい問題は何かあるでしょうか?」――⑨

少し考えて、母親が切り出す。

「今は毎朝、たかしが学校に行きたがらないので、私が無理やり引っ張っていってるんですが、そのやり方でいいのかどうか……」

思案する母親に、セラピストは提案する。

「ご主人にどうしたらいいか、聞いてみましょうか?」

「はい」

セラピストは父親に問う。

「どうしたらいいと思います?」

「行きたがらないというのは、やはり甘えもあるでしょうから、引っ張っていくなり、学校の先生に迎えにきてもらうなりしないと」

「つまり、今の奥さんの行動はOKですね?」

父親ははっきりうなずく。セラピストはさらに先に進む。

「じゃあ、奥さんに聞きますけど、ご主人にはどうしてほしい? 何か手伝ってほしいことはありますか?」

躊躇することなく、母親はセラピストに答える。

「私がたかしを強引に連れて行こうとする時に、全然知らん顔をしてるんですよ。一緒に声をかけてくれるとか、考えている姿勢をみせてほしい」

セラピストは母親に、手振りで父親に直接話すように指示し、身体を後方にそらせる。母親は父親のほうを向き、少し手を震わせながら訴える。

「いつも新聞読んだり、コーヒー飲んだりしてるじゃない？『好きにせい』って、言われてるように感じるのよ。あの時に、一緒に協力してくれるとか、帰ってきた時に『がんばったな』って言ってくれたりしたら、たかしももう少し元気が出るかなって」

父親は腕を組んで聞いている。

「それくらいだったら……。うん、それくらいだったらできると思う」。父親は腕を組んだまま、小声で答える。

「本当？　知らん顔しない？」

「うん」。父親は視線を落としてうなずく。母親はとても嬉しそうな表情でセラピストを見る。

セラピストは父親に問う。

「いいんですか？」

「はい。できると思います……」。父親の声にはどことなく力がない。

セラピストは確認する。

「じゃあそれを一週間、続けていただけますか？」

8

父親は突然、身体を前のめりにして、これまでになく大きな声で、セラピストに問う。「あのう、それを一週間やって、何か意味はあるんでしょうか？　それだけで、何かいいことがあるのですか？」。父親は明らかに不満げである。

母親は表情を変える。セラピストは間髪入れず、父親に手振りを交えて指示する。「奥さんに聞いてみてください」――⑩

セラピストは身体を後ろに反らして腕を組む。父親は母親を見る。

「それだけで、何か……」

母親はわずかな沈黙の後、語り始める。

「うん……。原因がわからないから……ごめんなさい、私はあなたと結婚したのが悪かったんじゃないかと思ってたけど……。本当のお父さんなら、こんなふうに心配してくれるんじゃないかって――」

母親は途中で涙ぐむ。

「たかしがそんなことを感じてくれたら、少し変わるかもしれないから、そうしてくれたら嬉しい……」。母親はハンカチを握りしめ、両手を震わせる。

父親はそれを、今までになく神妙な面持ちで聞き、大きくしっかりうなずく。母親は泣き顔のまま、セラピストに頭を下げる。

セラピストは父親に問う。

「よろしいですか？」

「はい。わかりました」。父親はしっかりと答える。

セラピストは母親に確認する。

「では一週間、それだけでいいですね？」

「はい」

「ご主人のほうからは、他に何か言っておきたいことはありますか？」

「はい、家内は家のことは何でもやってくれますし、今日ここにきて、私のすべきことも具体的に話してくれましたし、私のほうからは、とくにないです。大丈夫です」

「はい、それでは来週、またお目にかかりましょう。予約をとって帰ってくださいね。ありがとうございました」

「ありがとうございました」

セラピストと両親はほぼ同時に立ち上がり、互いにおじぎする。とくに母親は、深々と頭を下げる。

小論Ⅲ

「家族構造」というフレーム、「家族の成長」というフレーム

個々人の所有するフレームは、良きにつけ悪しきにつけ、自他を制限する縛りになる。家族間のコミュニケーションは、とくに密度の濃い縛り合いだといえる。セラピストが行うリフレーミングは、その縛り合いに変化をもたらすものである。

前章でも述べたように、リフレーミングの方向性はセラピストの所有するフレームによって決定されるが、それには「個人的」なものから「学術的」なものまで、様々な種類がある。「学術的」なものに限定すれば、たとえば幼児期の体験を重視するフレームや、刺激と反応の随伴性を重視するフレームなどが挙げられる。いずれにせよセラピストは、それぞれが重視するフレームに関連したリフレーミングを行う。たとえばP循環を重視するフレームをもつセラピストであれば、面接中、ポジティブ・リフレーミングを多用するであろう。

そのようなフレームのひとつに、家族システムの構造的側面（家族構造）を重視するフレームがある。そうしたフレームをもつセラピストは、構造的家族療法家と呼ばれている。家族構造とは、要するに、家族メンバーの「役割」や「機能」を重視して見立てたものである。

構造的家族療法家は、両親が協力的な関係にある場合、そのことを「両親（夫婦）連合が形成されている」と表現する。また、母親と子どもが父親に対立する形で協力関係にある場合、「（世代を超えた）母子連合が形成されている」あるいは「世代間境界が曖昧である」などと表現する。構造的家族療法は今や古典的な手法と目されているが、現在でも「夫婦連合がしっかり形成されていて、世代間境界が明瞭であること（ただし、固すぎず柔らかすぎず）が、健全な家族構造である」といったフレームは、多くの家族臨床家に活用されていると思われる。

私は「P循環の形成が症状・問題を消失させる」というフレームを強固にもつセラピストだが、同時に構造的家族療法の影響で、「家族構造を健全な形に再構造化することで、症状・問題を消失させうる」といったフレームも大変強く所有している。夫婦連合が形成される、あるいは世代間境界が形成されるといった家族の関係性の変化が、個々人の変化につながり、その付帯として症状・問題が消失する、このようなフレームを家族面接において採用することが、若い頃からの好みなのである。私にとって、治療で活用しやすいフレームであるということだ。本事例においても、このような私のフレームがセラピーの進行におおいに影響を及ぼし、クライエント夫婦に対して、夫婦連合を形成する方向でのリフレーミングが推進されている。

このような事例を紹介すると、変化を作るためのひとつのフレームに過ぎなかった「家族構造の問題」が、ひとり歩きを始めることがある。そうすると、たとえば「夫婦連合が形成されていないせいで子どもに問題が出た」などといったフレームがさも真実であるかのように語られ、「健康な家族」「不健康な家族」といった分類やレッテル貼りが始まってしまう。

実際、「あなたは家族療法の専門家だから、『健康な家族とは何か』、ひとつこの話題で講演してほしい」という依頼を受けることも少なくない。そういう場合、「健康」「不健康」などといったレッテル貼りに乗せられてなるものかと、たいていは丁重にお断りすることになる。私にいわせれば、当事者や周辺の人々が「健康」だと思っている家族が「健康な家族」になり、「不健康」だと思っている家族が「不健康な家族」になる、というだけの話である。これでは何のことだかわけがわからなくなって、講演にはならないだろう。

しかし「思いや言葉が現実を作る」といった私の信念からいえば、本当にこれで十分なのである。そのようにフレームの力は絶大であると考えるからこそ、リフレーミングこそが最大の心理療法技術であるといえるのだ。

しかし、「どこからどうみても健康にみえない家族」はどうしたらいいのか、などと問う人もいる。しかしそれは、あなたが健康な面を探し足りないだけである。もっと意地悪くいうと、あなたが探そうとしないからである。

家族を健康にする一番のコツは、「家族はいつも成長しつつある」とセラピストが信じることだ。目につくところがたとえどのような悲惨な状況にあっても、内部では成長のマグマがうごめいていると考えるのがよい。

家族にいかなる問題が発生しても、どのような症状が現れても、時間縦断的にみるならばそれはよい変化に向けたプロセスであり、むしろそのことを契機に、家族はいっそうの成長を遂げようとしている。たとえ現状がどれほど悲惨にみえたとしても、「成長しつつある」「よい変化の途中である」といったリフレーミングが入るならば、その家族は、本当に健康な家族になる。だから、よいセラピストはみずから率先して、家族がすでに健康であることを心の奥深くで認め、面接における会話によって、その証拠を発掘して表に出そうとするのである。

証拠を発掘する方法はいくつかあるが、どれもそれほど難しいものではない。たとえば、成長とは変化であるから、変化について聞けばよい。問題が始まる以前と始まってから後で、家族の中で何がどのように変わったのか。ただし多くの家族においては、その変化にはほとんど注意が払われていないか、たとえ払われていても、ネガティブに意味づけがなされている。ならば、丁寧にポジティブ・リフレーミングを行おう。そのようなことに気がつくだけで、多くの家族は、よりいっそう健康への道を進み、自分たちの成長のための試みを始めるものである。

あなたが家族の悪いところを発掘しようとしない限り、家族は決して不健康にはならない。あなたの目の前にいる「不健康な家族」は、あなたの心の反映に過ぎないのである。

ディスカッション

よい変化を促進する

東 この事例は、不登校の子どものことで相談にきた両親への面接です。セラピストの大きな意図は「両親連合」の形成、構造的家族療法のイロハのイ、ですね。

さて、まずは冒頭部分、セラピストの質問に対して母親が父親に答えさせようとしましたが〔①〕、ここで皆さんはどのようなことを感じ取りますか?

星野 支配的な母親。そんな感じがしました。

吉田 人を動かす力があるのかな……。

中村 非言語的なもので父親を動かそうとしている感じ。でも、なぜ言葉にしないのかな。

藤本 「言わないでも察してよ」っていう感じかな?

岡田 父親に対して、「わかってない」って怒ってるのかなと、ちょっと思いました。

藤本 「お父さん、しっかりしてよ」っていうような……。

中村 とりあえずゆずって様子をみているのかな、という気もします。

吉田　父親を立てている、とか。

藤本　母親は、父親が役割を果たすことを求めているのかな。

星野「お父さんは、あなたなのよ」といったような、合図でしょうか。

東　いい感じのディスカッションですねえ。皆さんの言っていることは、どれもこれも間違いではありませんよ。いろいろな見方があってよろしい。そういう意味で、これから言うこともひとつのフレームに過ぎませんが、けっこう役に立つと思うから、覚えておくといいですね。

それは、**面接を受けにきた家族は、必ず何らかの変化・成長のプロセスの途上にある**、ということ。どんなケースでも、どのような悲惨な語りが充満していようとも、「行き詰まってどうしようもない、絶体絶命の状況」などということは、それこそ絶対にない。いついかなる状況でも、その家族は必ずよい方向に向かっているのだと、まずはセラピストがそのように確信することです。彼らの変化・成長の一場面にたまたま自分が遭遇したのであると、このようなフレームをぜひもってほしいと思います。

一同　（深くうなずく）

問題は家族の持ち物

東　さて、この家族はどのような成長のプロセスにあるのでしょうか。推測してごらん。それが冒頭一番に、私が感じ取ったことです。

岡田　変化のプロセス……。ご主人に、「お父さん」になってほしい……。

東　「なってほしい」の先に行っている。それが、もうすでに起きつつある。父親が父親になりつつある、この面接はそのプロセスの一場面である、このように考えてみてください。

星野　もうすでに起きつつある……？

東　この段階での私の妄想は、次の通りです。母親は、おそらく長い間、親業をひとりでやってきた。父親は、何かの事情でちょっと蚊帳の外。また実際のところ、父親に頼らなくてもなんとかなっていた。でも今回初めて、父親が、親としての仕事を始めた。あるいは、母親が父親に親役割をとらせようとしている。それはなぜか。きっかけは子どもの不登校。不登校という問題が、家族に変化を促している。不登校が起爆剤になって、新たに家族の成長のプロセスが始まった。

一同　（驚きながら）面接開始後すぐにそこまで！

東　もちろん妄想ですよ。妄想ですが、面接が始まってちょっとの間にみられた現象から、このように考えることができるわけです。

観察された現象から、この家族の成長のプロセスを推測する。これがセラピストとしての大きな楽しみなのですよ。そうすると、主訴であるところの問題や症状のもつ意味も、何かしら肯定的なものにみえてくるのですね。

その気になれば、「母親が子どもの問題を利用して父親を変えようとしている」などといったちょっと意地悪な表現も可能ですけれどもね。しかし、わざわざそのようなネガティブなリフレーミングをする必要はない。

吉田　やはり基本はP循環！

東　嬉しいことを言ってくれますねえ。そうです、その通り。「問題が家族のよい変化を促進している」と考え、その変化の方向性を仮設し、セラピストがさらなる変化の触媒として活動する。それが家族療法です。

治療とは何かといえば、家族のよい変化をしっかりと根づかせ、「問題」がなくなってもその変化が持続するような状態を作ること。そうすることで、結果的に「問題」は不要物となり、姿を消すのです。

逆にいうと、「問題」がないと変化が持続できないということですと、いつまで経っても「問題」はなくならない。「問題」に役割を与え続けてはならないのです。「問題」は、変化のためのきっかけとしての役割を果たすだけで十分だということですね。

藤本　仕事を与え続けると、「問題」もついつい張り切ってのさばる。

東　そうです。このように、「問題」を個人の持ち物ではなく家族の持ち物だと考えてみる。その「問題」が、家族システム全体の中で、どのような意味、どのような機能をもっているか。その「問題」が生じたことで、あるいはその解決のプロセスで、家族に何が起きているのか。このような視点をもつことが大切であるということです。

この事例でいえば、子どもの不登校は「父親の出番」を促進しているのであり、「父親の出番」が不登校抜きでも定着すれば、その「問題」は消失するはずだと、セラピストは考えたのですね。もちろん面接スタート時点での、まだまだ妄想の段階ではあるけれども、このケースでは最初の部分が大変大きな観察ポイントであったということです。

最初のイメージが重要

星野　たとえ妄想だとしても、こんなに早い段階でそこまでイメージがわくのですか?

東　このケースに限らず、皆さんによく覚えておいていただきたいのですが、最初の、まあ一、二分から長くて五分くらいの間にわいてくるイメージはきわめて重要です。それがある程度、その後の面接を方向づける。そこで何もイメージがわかなかったら、ダラダラとした面接になりがちです。

吉田　私、なってます……。

東　そのような面接が悪いとはいわないけれど、少なくともシステムズアプローチらしくはない。システムズアプローチである限りは、最初の数分で得られた情報から、それなりのイメージを作る。そのイメージをもとにインタビューを組み立ててみる。すると、やがてそれが空想になり、仮説になる。だんだんと、はっきりした姿がみえてくるわけです。

もちろん、途中で、「あれ？　違うぞ」ということになれば、それを捨てる勇気は必要です。何事もしがみついてはいけません。しかしこのケースでは、最初の妄想がどんどん発展していきました。二度三度と、同じようなパターンが続いたからです。

「母親が、父親に親役割をとらせようとしている」、このようなイメージが私の中でどんどん膨らみます。そしてそのような時、「息子は家内の連れ子なんです。私たちは再婚なんです」と父親が語りました。

吉田　私がセラピストなら、ちょっとドギマギしてしまいそうな展開です。

東　いえいえ、まったく逆。これでジクソーパズルがほぼ完成したような気分です。不登校が始まるまでは、とにかく母親中心でがんばってきた。実の父子ではないということで、父親に遠慮や、いろいろな葛藤があったのかもしれない。父親が周辺的な位置にいた理由がこれで推察できた、一応仮説完成、というところ。良くも悪くも、システムズアプローチはこんなものです。

一同　早〜い！

星野　五分、一〇分もいかないですよね。

変化に合わせてジョイニング

東　ここまでくると、次の作業を進めます。つまり、「すでに起きている家族の変化」を促進することのお手伝いですね。

そのために、まずは母親が父親を面接に連れてきたその思いに、目一杯沿って動く。母親が必死で作ったこの状況を、万が一でもセラピストが台無しにするようなことがあってはいけません。まずセラピストがすべきなのは、父親を丁寧に接遇すること。そして、父親が面接の中にすーっと、うまく入ってこられるような配慮。これがジョイニングなのですよ。

岡田　ジョイング！　システムへの参画、家族へのとけ込みですね。

東　本当の意味でのジョイニングというのは、単に「家族にとけ込む」なんて単純なことではないのですねえ。「面接にきた時点での家族の背景・文脈に乗る」といったほうが適確です。

先ほどの言い方を踏まえれば、「問題によって生じているシステムの変化への適応」ということですね。この場合なら、「父親が子育てに参画しつつある」という流れに乗ること。母親が父親を面接室に連れてきたことは、その変化の具体的な事象のひとつなんですね。だからその母親の思いを十分にくんで、それに応じた立ち居振る舞いをすること、それがジョイニングとなるのです。

それに加えて、セラピストは母親に「お父さんに一緒にきてほしいとおっしゃったんですね。勇気が要りましたね」とねぎらいを向けました。それだけで母親は涙ぐみましたが、このように、母親の思いに直接タッチすることも大事です。よく「ねぎらいが大切」といわれますが、それもやはり背景・文脈を読んで、ストライクゾーンに入らなければなりません。

岡田　とにかくねぎらえばいいのかと思ってました……。

バランス感覚が重要

星野　質問があります。この後、母親が「ここにくることを頼んだ時、父親はいやそうだった」と述べていますが、その次にセラピストが、奥さんの言葉を「信じてもいいのでしょうか？」と、父親に対して尋ねていますね〔②〕。これは、どういう意味があったのでしょうか？

吉田　私が答えます（笑）。この時点で、セラピストは母親のほうにぐっと接近していましたよね。だから、父親に「あなたをほったらかしてはいませんよ」という中立性のメッセージを送ったのかなと。

藤本　「信じてもいいのでしょうか？」という表現は、むしろ中立を超えて、お父さんのほうに肩入れしている感じもしますが？

東　母親の話を聞くことで、母親とセラピストの距離は縮まるかもしれないけれども、同時に父親とは離れてしまう可能性がある。父親に対して否定的な話になっていく場合は、とくにそうです。だからそこから一度ポンと離れようと、そういう意図のある質問です。

「お母さんはこんなこと言っているけど、信じていいの？」という、母親に少し疑いを向けるようなニュアンスの質問をすることで、「私は母親の言うことを鵜呑みにはしていませんよ」「中立的に聞いているんですよ」というメッセージを父親に伝えたいのですね。父親の気持ちがセラピストから離れたり、面接に対して不安をもつ危険性を防ごうという意識です。ただし、その結果としてセラピストと母親の距離が少し離れてしまうことは自覚していないといけません。

藤本　セラピストは、今自分がどちら側に接近しているか、つねに意識していないといけないということでしょうか？

東　その通りです。合同面接というのは、このようにあっちに行ったりこっちに行ったり、バランス感覚が大変要求される作業なのですね。

内容的なことはもちろんですが、どちらか一方の話を聞いていること、そのこと自体も心理的な距離に影響します。「今母親とやりとりしていることで、父親にどんな影響を与えているだろうか？」、このような意識をもって面接を行うことが大事です。

ときどき、一方から出てきた話があまりに興味深いと、ついつい引きずり込まれてしまうことがあるのですねえ。そうすると、その場で起きていることが読めなくなる。コンテンツ（内容）に「巻き込まれ」て、コンテクスト（文脈）がみえなくなった状態です。

岡田　難しい～！

東　近いうちに、君にも必ずできる！　はい、言葉の力!!

岡田　（大声で）必ずできます！

一同　（笑）

東　合同面接では往々にして「あちらを立てばこちらが立たず」といった難しい場面が現れますが、これもその一例ですね。母親は、「父親を問題解決に巻き込みたい、子育てに参画させたい」という思いをもっている。そしてセラピストも、母親の思いを大事にしたいと思っている。ところがそのような話に耳を傾ければ傾けるほど、結果的に隣にいる父親にいやな思いをさせて、距離をとらせてしまうということが起きやすいのです。これを防止するうえで、この「信じていいですか?」というのは大きな意味のある質問です。

中村　その質問に答えて、父親は「そういう気持ちもあった」と、わりあい肯定的に返しました。

東　まあ、必ずしも肯定的とはいえないけどね。父親が母親に反発してくる可能性もあったから、そうじゃなくてよかったとほっとする場面ではあるけれど、父親のその発言が母親をがっかりさせる可能性もありますから。しかしどのような展開であっても、その流れに乗りながら面接を組み立てていけばいいのですよ。

ゴールに向けた種まき作業

中村　この後、ゲームの話になりますね。

東　このやりとりの意図は何だと思いますか?　セラピストはゲームの話題に乗っかって、あるフレームを作ろうとしています。さて、それは何でしょう?

星野　楽しかったエピソードを取り上げて、P循環を形成する?

東　それも大事なこと。でも、もっと大きな狙いがありました。セラピストは「教えがいがありましたか?」なんて聞いていますが〔③〕、このあたりのニュアンスはどう?

岡田　教えがい……?　実際にお父さんが楽しめたか、やる気があったか……とか?

藤本　父親のポジションに関することでしょうか。親が子どもに教えるというポジションを、「教えがい」という言葉で作っていく。種まき作業かなと思いました。

東　そう、まさに種まき作業。

ここでの大きなゴールは、「父親は子どもを指導する立場にある」というフレームを形成すること。セラピストはそのゴールに向けて、地道な作業を開始しています。子どもにゲームを教えたエピソードを取り上げることは、単に面接室の中をP循環にするだけではなく、「父親が子どもを指導する」というフレームを意識させるための種まきになるのですね。

こうした作業も、「この家族は現在、父親が父親になっていくプロセスの途上にある」という見立てに立脚しています。すでに進行しているそうした流れに乗るという意味ではジョイニングと呼べるでしょうし、その流れをいっそう促進するという意味では変化を与えるリフレーミングといってもいいでしょう。この場合の「変化」というのは、現状を変えるというよりも、現状の動きをうまく促進して、花を開かせるということです。

リフレーミングというのは必ずしも「違うフレームに置き換える」ことだけをいうのではなく

て、「今はひっそりとたたずんでいる枠組みに陽光を当て、その姿をはっきりと現出させる」、このような作業でもあるわけですね。

吉田 先生、無理して詩的に表現しようとして、ちょっと苦しい。

東 オホン。とにかく、ある状況を「問題」とみればいくらでも「問題」はのさばるけれども、「解決・成長に向かっている」とみれば必ず解決・成長が生まれてくる。わかりますか？

一同 （深々とうなずきながら）はい。

夫婦連合を形成する

星野 質問です。「父親が父親になる」ということが目標であるなら、セラピストがさっさと「お父さん、もっと子どもに関わって」などとアドバイスしてはいけないものでしょうか。私だと、そのような感じになってしまいそうなのですけど。

東 文脈によっては可能ですよ。父親との関係において、セラピストによほど権威があるとか、いきなりそれを言うことでうまくいくような文脈があるのならね。しかし多くの場合、そのような安直なアドバイスは、いろいろな手段で無視されたり批判されたり、無効化されたりするものです。

吉田 なりそう……。

東　そこで役に立つのが、構造派の「夫婦連合」の概念です。「夫婦連合が形成されると問題が消失する」といった古典的なフレームにしたがって、母親と父親の協力関係を構築していくわけです。平たくいうと、父親が変わることを母親にもっと促進してもらう。「夫婦の協力関係を夫婦の協力で作る」という関係性の構築ですね。

一同　？？？

東　たとえば、表面上、父親が協力的になって、夫婦の協力関係ができたようにみえても、父親のその変化は、「問題」の存在による渋々のものであるかもしれませんよね。だとすると、これは「問題」が作ってくれた夫婦の協力関係であって、本当の「夫婦連合」とはいえません。同じように、父親の変化がセラピストの強権発動によるものだとしたら、これもやはり「偽・夫婦連合」でしかないわけです。

「夫婦が自分たちのあり方について互いに率直に話し合える関係」でなければ、真の夫婦連合ではありません。そのような関係を作るためのセラピーの展開を、「夫婦連合を形成する」といった構造的家族療法のフレームを利用して作るわけです。だから、「父親の変化を促進させる」という場合でも、決してセラピストがそれを代行しない。それは母親の仕事です。母親にやってもらう。いわば、家族内自然治癒力を引き出すということですね。

実際、このケースでも後半はそのあたりの駆け引きが満載です。その段階にきたらくわしく解説することにして、ちょっと先に行きましょう。

「縛り」をとる質問

中村　えっと、ゲームのところでしたよね。父親が、指導するうえで手がかかるようなことはなかったと。すると母親が突然、再婚したことが悪かったのではないかと。

東　そうです。実は、父親が「今までは手のかかることがなかった」と述べた時、私の中では次の台詞も準備していたのですが、母親に邪魔されちゃいましたねえ。

星野　どんな台詞ですか？

東　「今回、初めて腕のみせどころがきたということですね」、このようなニュアンスのことを言おうとしていました。やはり、父親の出番を促進する方向でのリフレーミングですね。でも、母親に割って入られた！（泣）

一同　（笑）

東　せっかくいい展開だったのにと、ちょっと恨めしく思いましたが、すぐに気分を入れ替えました。面接中はつねに新しい展開が生じますから、すんだことにとらわれている暇はありません。母親の自責的なフレーム、今度はこれを扱わないといけない。そこで、気を取り直した私はすぐに、「誰かに言われたからそう思っているのか？」といったことを軽い感じで尋ねました〔④〕。この質問の意図は、もうわかりますね？

中村　そのフレームをあえて軽く扱っている。それがどうしたって。

藤本　「私はそうは思っていないですよ」「それはただのフレームですね」というメッセージ。

東　そんなところです。母親のフレームの重さ調整ですね。「それはあなたが自分を縛っているだけ」というのが、私が一番いいたいことです。

これもやはり、「外在化」の質問であるといえますね。母親を縛っている考えを引きはがして、相対化する。それにより、そいつと冷静に付き合えるようになる。過剰に情緒を混乱させられずにすむようになります。

ただ私は日本人だから、この手の質問は、なかなかうまい言い回しができない傾向はありますねえ。きっと皆さんもそうだろうと思いますよ。今のも本当なら、「どこからそんな考えがあなたを襲ってきたのでしょうか?」なんて言うほうが劇的でわかりやすいよね、いささか翻訳調だけど。

中村　先生は以前、「ミラクル・クエスチョンなんか恥ずかしくて使えない」って、何かのシンポジウムでインスー・キム・バーグに向かって言ったことがあるんですってね、大胆にも……。

東　その時はインスーに、「あなたは恥ずかしがるような人にはとてもみえない」と言い返されましたけどね(笑)。だから、ちょっと地味な外在化の質問を私は多用しますね。その分、表情や態度など、ノン・バーバルなもので雰囲気を作り、本来の外在化の効果を補填しようとするようです。まあ、これは自己分析ですが。

吉田　そのノン・バーバルな部分が、恥ずかしがるような人にみえないということなんでしょうね（笑）。

藤本　先生、よく使われますよね。「それ、本に書いてあったの？」とか。

東　うん、それもよく使う。あまり恥ずかしくないから。

吉田　「恥ずかしがり虫」は、いつ頃から飼い始めたのですか？

一同　うまい！　外在化習得！（笑）

東　とにかく私の場合、この「再婚が悪かったのではないか」というような発言に対して、「それはどういうことでしょうか。そこの思いをお聞かせいただけませんか」という面接の展開にはまずならないですね。そこをほじくって、「結局、関係なかったね」となればまだいいですが、「やっぱりそれが問題です」なんてことになったら、一体どないすんねん！　責任者出てこい！

一同　（笑）

東　仮に「関係なかったね」となったとしても、そこに至るまで三〇分、あるいは三週間もかかったとしたら、そんなの時間の無駄。私なら「誰に言われたの？」ととぼけた一言、これだけでリフレーミング終わりです。もちろん相手の思い込みの強さによって、手のかかり方は変わりますけれども。

星野　私だったら、ついつい「再婚が関係ありそう」なんて思ってしまって、その話に長付き合いしてしまいそうです……。

東　それを「巻き込まれ」というのですね。セラピストとクライエントのフレームが本気で重なった状態です。

関係作りのためにとりあえず話を聞いていこうというなら、それはジョイニングとしてOK。また、解決構築の土俵として「再婚が関係ある」というフレームを使う道筋がセラピストの頭の中に準備されている限りは、それでOK。しかし、「巻き込まれ」はどうにも食えない。相手の既存のフレームをいっそう強めるだけになることが多い。そうならないためにも、まずはセラピストが自分自身の所有するいろいろなフレームを外在化して、己の縛りをとっておくことです。

藤本　縛りをとって、いったん自由になって、そのうえで自分のお気に入りのフレームを採用する。それが大事なんですね。

肩代わりをしない

東　さて、この後「父親が父親となる」作業が再開しました。ここでいっそう大事なのは、その作業が両親自身によって行われたことですね。

もともとの性格もあるでしょうし、「自分の連れ子である」といった思いからくる遠慮もあったのでしょうが、母親の父親への自己主張はずいぶん抑制されているように思えました。あるいは父親のほうにも、母親の主張を抑制させる、何らかの事情があるのかもしれないと思えました。

岡田　たとえば、暴れるとか。

星野　うつ状態になるとか。

東　そのあたりに目配りしながら〔⑤〕、夫婦のコミュニケーションの円滑化を図る、なんていうとちょっと硬い表現ですけれども、要するに本音トークができる関係性にもっていく、すなわち夫婦連合を作るための丁々発止のやりとりが続きます。その中でもっとも目立つ技法が、「盛り上げ逃げ技法」。

中村　盛り上げ逃げ技法？　初めて聞く言葉です。

東　はい、今初めて使いました。東語です（笑）。つまり、夫婦の一方にあえて肩入れし、緊張を盛り上げるだけ盛り上げておいて、「はい、後はおふたりでどうぞ」という展開です。アンバランシングの極意ですね。

中村　えぐい！

東　セラピストは母親の気持ちに同調しながらも、「父親に要求を出すかどうかはあなた次第」と一線は守ります。間違っても、母親の代理人は引き受けない。

藤本　それをセラピストが引き受けてしまったら、たとえ夫婦の協力関係ができあがったとしても、それは偽・夫婦連合であるわけですね。

東　その通り！　決してセラピスト主導で動いてはいけない。セラピストは、「あなたと同じ気持ちではあるが、あなたが決めないと私は何もできない」と伝えます〔⑥〕。あくまで母親が主役で、あなたがその気なら私はどこまででもおともしますよ、ということです。

藤本　母親が「主人に一緒に考えてほしいです」と言った時、セラピストは「それは、今、ご主人にお願いしてもいいことですか？　早すぎますか？」と聞いていますが〈⑦〉、これ、とても面白かったです。

中村　巧みな言葉で「やる」ことが前提になっていますよね。選択できるのは「今」か「後」かということだけで、「やる」か「やらない」はもう選べない（笑）。

東　その通り。そしたら、父親が「かまいません」と言ってくれました。母親も「主人がそう言ってくれるなら」と。

藤本　父親への提案にしても、それをしていいかどうか、母親に任せていますよね〈⑧〉。

東　「一〇回の面接に一緒にきてください」というところですね。一〇回という数字も解決するという約束も、それ自体には特段の意味はなく、母親の父親に対する遠慮のない主張を引き出すための道具として使っています。こういう言い方で母親のモチベーションを目一杯上げ、父親に対して「遠慮なくお願いする」というやりとりを生じやすくすることを考えているのです。

葛藤回避を見逃さない

星野　質問です。母親が思い切って父親に面接に続けてきてくれるようお願いした後、父親はそれを受け入れているのですが、セラピストはしつこく、母親に再び父親に何か要求するように仕向けているように思えました⑨。これはどういう意味があったのでしょうか。

東　いいところに気がつきましたねえ。

私のもっているフレームのひとつに、「ものごとがあっさり決まる時は、葛藤回避が起きていることが多い」というものがあります。父親がやけにあっさり提案に同意したので、葛藤を回避しているのではないかと思って、もういっぺん、ほじくってみたんですねえ、わざと（笑）。「緊急の課題はないか」なんて聞いていますが、何でもいいから話題がほしかっただけなのです。

岡田　ええ、そうだったのですか⁉　次回までに何か緊急性のあることがないか確認するのは大事よねって、私、そんなふうに受け取っていました。

東　それは、君がコンテンツにとらわれたのですね。そのコンテンツを用いて、セラピストがどのような文脈を形成しようとしているのか、そこのところを読み込んでほしい。

するとと期待通り、もうひとつ母親から要望が出てきました。よし、これ、いただき！（笑）。そして、再び母親から父親へ要求されることになりました。

中村　この時、セラピストは椅子をずらして、もうまったく我関せず。

吉田　かえってコワイ！

藤本　取り残された母親は、少し手を震わせながら父親にお願いしていますね。

東　このやりとり、緊迫感がありました。その前の、「一〇回きてほしいです」「はいはい、いいですよ」なんて感じとは全然違う。手にしたハンカチが震えていました。父親は、これまでと比べれば神妙な表情で母親の希望を受け入れましたね。でも、まだ何か軽い。

星野　それでも、今まで、この夫婦にはなかった体験ではないかと思えました。

東　しかし、これだけでは終わりませんでした。この後が大一番です。

母親が「本当に知らん顔しない？」、父親が「うん」、なんてやりとりをして、「まあまあ真実味があるかな」なんて思いながら見てましたが、なんのなんの、父親のお腹の中は別。「それを一週間やって、何か意味あるんですか？」と、セラピストに向かって文句を言い出したわけです。

藤本　抵抗！　まだ本当のところは受け入れていない。

中村　母親には言えず、セラピストに逃げている。

東　セラピストは静かに、「奥さんに聞いてください」⑩。葛藤回避は許さんよ、ということです。ここはこの面接で、最大のポイントだろうと思います。

よくある失敗は、父親の疑問・反論に対してセラピストが答えてしまうこと。そして、父親とセラピストの小さな議論が起こってしまう。

一同　あぁ〜、答えちゃいそう！

東　仮にセラピストの答えに父親が納得すると思えても、本来は夫婦の間で処理されるべきものを、このタイミングで、セラピストが肩代わりなんぞ絶対にしてはいけません。このような葛藤にきちんと立ち向かうことで、夫婦は「本音で語り合える」ように成長できる。真の夫婦連合が形成される大きなチャンスなのですね。セラピストとしては、ここを逃す手はない。それで、「奥さんに聞きなさい」。心を鬼にしての第三ラウンド開始です。

母親は、今度は泣きながら、自分の思いを父親にぶつけました。父親は本当に神妙な表情。そして、このやりとりが終わった後、まるで憑き物がとれたような、実にいい表情をみせてくれました。

吉田　父親にしてみたら、「もう逃げられない！」という感じだったのでしょうね。

藤本　逆に母親は、「私がここまで言うとは思わなかった」って感じでしょうか。母親も葛藤回避で、父親にものを言わずに表面上は穏やかにしていたところ、「あなたがやるんだよ」「あなたがやるんだよ」とリフレーミングされまくり、とうとうここまでやっちゃったか、みたいな。

東　そういうことです。

中村　父親の立場になりたくないな～（笑）。

東　逃がさんよ。

一同　コワ～！

第6章 娘の非行／両親・子ども合同面接

初回面接

1

ノリコは小柄な中学二年生。ふてくされた様子で、母親に背中を押されるように面接室に現れた。

母親は優しい顔立ちに困惑と緊張の表情を浮かべ、セラピストに何度も頭を下げた。後から硬い表情で恐る恐る入室したのは大柄な父親。落ち着かない様子で部屋の中を見回した。

左から、母親、ノリコ、父親の順に座る。セラピストが自己紹介すると、母親が恐縮したようにまた深々と頭を下げる。父親は硬い表情のまま軽くうなずき、ノリコは足を固く組んで半身。

セラピストが促すと、母親が家族を紹介した。

「それで、今日はどういったことで、こちらにこられました？」

セラピストが尋ねると、母親から、ノリコの行状（万引き、深夜徘徊、喫煙、ずる休み）が次々と披露された。ノリコも父親も固まったままである。

「小さい頃は、とてもいい子だったんです。素直で、家事の手伝いもよくしてくれて……。でも、中学生になって、反抗期に入ったのかしら、最近は言い合いばかりで。ただ、この間の万引きについては、『悪いことをしたと思ってる、もうやらない』と言ってくれました。だから、それはもう一件落着っていう感じではあるんですけど」。母親は顔に安堵を浮かべながら言った。

しかしノリコは半身のまま、母親をからかうように言う。

「そんなことないよ。万引きなんて、別に悪いと思ってないもん」

「えっ？」。驚く母親。

「だって、友達もやってるし。この前は、たまたま運悪く見つかっただけ」

母親は、落胆した様子をみせる。しかしそれをよそに、セラピストはノリコが口を開いてくれたことが嬉しかった。

「ちょっといいですか、ごめんなさい。ノリコさんは、今日こちらにきたのは、どんな気持ちで？」

セラピストが問うと、ノリコは素直に応答した。

「お母さんがきなさいって言うから、きただけ」

「そうなんだ。すると、あなたにすれば、まだまだ一件落着じゃないよっていう感じ？」

「これからちゃんといい子にします、なんてことは絶対ない」

「母さんの育て方が悪いんだ、それは」。父親が突然口を挟んだ。平板ながらも強い口調である。

「育て方って……。あなたね、そんなふうに言うけど、今までこの子に関わってくれてた？」。

母親は責めるように言う。

「お前に任せてたんだ」

「任せてたって……。今まで全然関わってくれていないのに、いきなりそれだけ言われても困る」

「育て方が悪いんだよ。ほんとにもう……しっかりやってくれよって」

「育て方が悪いっていうのは、どういうことですか？」。ふたりの口論を遮るように、父親とも交流を開始するセラピスト。

「もともといい子なんだ、この子は。それがこんなことになったのは、母さんの育て方が悪いよ、そりゃ」

「と、おっしゃると？」

「母さんはね、ピシッとやらない。悪いことを悪いって言わずに、よしよしって今までやってきた」

「何でも許してきたっていう感じ？」

「うん、そういうところがある」

「そんなことないわよ。万引きがいいなんて、そんなこと言ってないでしょ？」。母親は父親に言い返す。

「いや、それ以前のこと！」

「以前っていつのことよ？　それをはたで見てたの、あなた？」

「小学校からずっとだ！」

「よく言うわね、あなた、家にほとんどいなかったじゃないの！」

「働いてただろ」

「働いてたって言ったって……。実は、夫は……」。母親はセラピストに向かって何か言いかける。

「そんなこと、言わんでいいだろ」。止める父親。

「パチンコがすごく好きで、それで……」

「言わんでいい！」

「三年前、借金作っちゃったんですよ。かなりの額だったんです。それがもとで前の職場も退職することになって、今はコンビニでアルバイトしてるんですけど、私も働いて、借金の返済に当てていかないといけない。それに、今でも休みの日は全然家にいないんですよ。子どもたちが小さい時からずっとそうでした。家事とか子育ては、私がずっとひとりでやってきたんです」

母親は、セラピストに一気呵成に訴えた。目を閉じる父親。

2

セラピストは両親の口論をまったく相手にせず、ノリコに質問する。

「ちょっとノリコさんに聞いていい？　今回、あなたは万引きしただけだよね？　〝だけ〟とか言ったら、お母さんに怒られるかもしれないけどさ」

「うん」。ノリコが答える。

「そうだよねぇ。それだけのことで、なんでこんなたいそうな話になってるのかなって、僕は今すごくびっくりしてたんですよ。なんだか（父親の顔をチラっと見ながら）お母さんの育て方が悪いとか、（母親に）えっと、お父さんは何でしたっけ？」

「あの、パチンコ……」

「ああ、そうそうパチンコだ！……とかね、いろいろとご両親はもめておられるのだけど、そのことと万引きと、どういう関係があるの？」

ノリコは首を傾げた。セラピストは母親に問う。

「ごめんなさいね、ちょっと頭を整理させてほしいんだけど、どういうこと？」

「いや、なぜこの子が万引きなんかするようになったのかと」

セラピストは、今度は父親に問う。

「何が原因かで、もめておられるということ?」

「俺は、一緒にきてくれって言われたからきただけで……。あんまりきたくなかったんだけどな」

セラピストは母親に、

「お母さんは、なぜお父さんと一緒にこようと思ったの?」

「やっぱり子どもの問題は、夫婦の、家族全体の問題だと思っているので」

答える母親。するとノリコが母親に向かって、

「何それ。そんなこと、話したことなんか一度もないじゃん!」

「だってお父さん、逃げるもん」

「忙しいんだ!」。父親が割って入る。

「忙しい忙しいって言うけど、休みの時も全然家にいないでしょ?」

「パチンコで稼いでくるじゃないか」

「稼いでくる?」

「この前も、ちょっと入れただろ!」

両親はまた口論を始める。

3

セラピストはふたりの口論を遮るように、母親に問う。

「お母さん、もしも外れていたらごめんなさいね。ひょっとしたら、今回の事件をきっかけに、家族関係を見直してみたいというお気持ちがあるのかな？　お父さんと一緒にきていただいたということは」

「……そうかもしれません」

「ノリコさんのことと家族関係は、何か関連があるんじゃないかって思うの？」

「そうですね。夫婦がガタガタしているせいで、私がひとりで全部背負ってきたのがいけなかったせいかもしれない、と……」

次にセラピストは、父親に確認する。

「今までお母さんがひとりで子育てをしてこられたというのは、間違いないですか？　お母さんはひとりでがんばってきたの？」

「全部、任せてた」。父親は、臆することなく言い放つ。

「なるほどね。それで？」。セラピストは母親に問う。

「それで、さっきみたいに『お前の育て方が悪かった』なんて言われると、カチンときます」

「あなたももっと関わってくれたらよかったのに、みたいな感じになるわけだ」

「借金のこともなかなか私に言えないで、ずっと後になってわかったんです。その時は大喧嘩になって、今は少しずつ返済してますけど、そんなに収入があるわけじゃないから私も働かないといけないし、家の中のいろんなことも重なってしまって、もう疲れてしまいました」

セラピストは、父親に問う。

「お母さんはかなり疲れておられるの？　お父さんからみても？」

「最近はえらくグチャグチャと言ってくるから、ちょっと溜まってるのかな、とは思うけどね」

「どんなことでグチャグチャおっしゃるの？　お父さんに」

「パチンコやめろだとか、借金どうするのとか。ノリコのことどうするの、とかね。とくにそれは言うねえ」

「言われても、困ったなとか、どうしようとか、そういうのは全然ないんですよ」。母親はセラピストに訴える。

「俺だって、ストレス溜まるからパチンコやるんじゃないか」

「ストレス解消どころか、かえって困ることになってるじゃない」

「しゃあないじゃん」

「自分でちゃんと返せるんだったらいいけれど……」

「ちょっとずつ返してるじゃないか！」

両親はまたまた口論になる。セラピストはふたりを遮るように、ノリコに話を振る。

「オッケーイ。ちょっとノリコさんに聞きますね。あなたからみても、お母さんはかなりお疲れですか?」

「お母さん、疲れてると思う」

ノリコは足を組んだまま、身体をセラピストの正面に向けた。

「どんな時にそう感じる?」

「仕事から帰ってきた時なんか、イライラしてるし。全部ひとりでやるの、ちょっと無理なんじゃないって思うけど」

「今までは全部自分ひとりでなさろうとしてきたわけね。ところで、ご兄弟は?」

「兄と弟」

「お兄さんと弟さんも、お母さんのお世話になりっぱなし?」

「うん。私が一番いろいろと手伝ったり、話を聞いたりしてるかな」

「今までずっと、お母さんが中心でがんばってこられたのは間違いないんだよね? それで、ノリコさんがよくお手伝いして、お母さんを支えてきた」

「うん。たぶん」

ノリコはちょっと照れくさそうに微笑んだ。

4

セラピストは母親に問う。

「外れていたらごめんなさいね。お母さんねえ、これまで自分を一番支えてくれていたノリコさんのことが今回は悩みの種になったので、それでちょっと慌てているんじゃないのかな……」

母親は、意味がわからない様子で黙っている。

「今までも、お家の中のことは全部自分ひとりで背負ってこられて大変だったと思うんだけど、お母さん、今回は今までになくしんどいでしょ？　ごめんね、ノリコさんには悪いけどさ」

「しんどいというか、びっくりですね。まさかこの子はそんなことをしないだろうと思っていましたから」。母親が答える。

「これほど慌てたことは今までなかった？」

「なかったです」

「ノリコさんの少しのお手伝いさえあれば、ほとんど全部自分でやってこれたんだものねえ、お母さん。でも今回はお手伝いしてくれる人がいない……」

母親は黙ったまま、わずかに表情を変える。セラピストは、続けて問う。

「今回お父さんをこちらに誘われたのは、お母さんが今までにないくらい、びっくりされたからではないでしょうか？」

「……そうかもしれません」

「今まで、これほどお父さんに頼ったこと、ある？」

「……ありません……」

「じゃあ、『お父さんにきてもらわないとどうにもならない』という気持ちになったことは？」

「もう少し家のことに関わってほしいっていうのはありましたけど……」

「でも結局、全部ひとりでやってきたんでしょう？」

「でも、夫にはだいぶ言ってきたんですよ」

「それで、お父さんは協力してくれた？」

「いいえ。何もやってくれません」

「だから、結局はお母さんがひとりでやってこられたわけですね、ノリコさんの助けも借りながら。しかし、今回はお父さんも一緒にきてほしいと頼んだわけだ」

「そうですね」

「先ほども聞きましたけど、お母さんは、今回のノリコさんの件をきっかけに、家族関係を見直してみたいというお気持ちがおありなのね？」

「やっぱり夫との関係が、もうひとつしっくりきてないので……。家のこととかパチンコのこととか借金のこととか、もうちょっと考えてほしいと再三言ってきたんですけど、どうも話が前に……」

「あんまりガミガミ言われるとなあ……。お前がだめなんだ！」

父親が言うと、両親はにらみ合いに。またしても口論になる雰囲気。しかしセラピストは、今回はすぐにこれを遮断する。

「ちょっとご両親に教えてほしい。私は一体、どの方向でお手伝いすればいいのか」

セラピストの少々大げさな仕草は、両親の注意を引きつけた。

「お母さんが、今までにないくらいパニックになっていらっしゃるのは間違いないよね？」

セラピストの問いにノリコがうなずく。続けてセラピストは母親に、

「今までは上手に乗り切ってきたけれど、今回は今までにないくらいパニックだよね？」

「はい」

「お父さんもさっき、そうおっしゃったよね？」

うなずく父親。セラピストは両親に、

「だから、お母さんが疲れすぎないように、うまくここを乗り切れるように、お父さんにもこうしてきていただいたわけだし、みんなで力を合わせていく方向でお手伝いができるかなとも思うのですが。ただ一方では、ご夫婦の関係をなんとかしなければならないようなお話も出てきている。さて、まずはどちらに取り組めばよろしいでしょうか？」

母親はうつむいたまま、

「どうなんだろう……」とつぶやく。

「ご夫婦のことを先に何とかしない限り、お母さんのお疲れはとれないのかな？」

「そうですねえ……。夫婦の関係も、私の中ではすごく大きな問題です。でも別に今すぐ離婚どうこうとか、そこまで考えてるわけじゃない。やはり、まずは私の疲れがとれないと、家の中が回りません」。母親が答える。

「そうですね、やはりお母さん中心で回さないとねえ」

セラピストは続けて父親に、

「今はお母さんがくたびれてしまっていて、わが家の大ピンチですね？」

「まあね……。ちょっと疲れが出てるのかなと、最近思うけどね」。答える父親。

「今までとはかなり違うんでしょう？　今まではいろんなことがあっても、お母さんがひとりでなんとか乗り切ってこられたわけじゃないですか」

「それなのに今は、やいのやいのとよけいなことを言い出してねえ」

「お父さんが、いつもそうやって逃げてるからでしょ！」

ノリコが突然怒り出す。

「に、逃げてないって。母さんがガミガミガミガミ言うから……」

やや落ち着きを失う父親。ノリコはさらに、

「一回さあ、お母さんとちゃんと話してさあ、ちょっとはなんとかしようっていう気になった

らどうなの！」

「いつも、やってるだろ、俺」

ノリコはさらに大声で、

「やってないから、お母さん、こんなに疲れてんじゃん!!」

「……い、いや、やってる、俺は」

父親は気弱な視線をセラピストに送る。ノリコはあきれ果てた様子で母親に言う。

「お母さんも、ちゃんと言ったら!?」

「言ってもねえ……。何回言っても逃げていくような感じだから、ほとほと疲れちゃったのよ」

「私、みてられないし。お母さん、限界だよ」とノリコ。

「あんたも、今までよく手伝ってくれた……」。涙目の母親。ノリコは思いやりのある声で、

「だから、ここが限界なんじゃないの？」

「限界っていってもねえ……」

母親は戸惑うように言う。父親は、落ち着きなくふたりのやりとりを見ている。

5

セラピストはノリコに話しかける。

「ちょっとノリコさんに聞いていい？　今、ノリコさん、限界とおっしゃったよね？」

「うん」。ノリコははっきりと答える。

「今まではお母さん中心で乗り切ってきたけど、今回はお父さんの助けがないと無理？」

「絶対無理だと思う」

「絶対無理、ね。なるほど」

「でも、お父さんは助けてくれないもの」。困惑したように母親が言う。セラピストは母親を無視して、さらにノリコに問う。

「今までは、そんなふうに思ったことなかった？」

「あったけど、でも、結局お母さんひとりで回しちゃうし」

「回しちゃうのね。今回ほど、お父さんの力が必要だと思ったことは、初めて？」

「うん。ほんとにもう、お母さんは限界だと思う」

「なるほど」

セラピストは父親に椅子を近づけて問う。

「今日こちらにくるのは、どなたから誘われたんでしたっけ？」

「母さんから言われて、しぶしぶついてきた」

「しぶしぶだろうけども、それでも行ってみようと思われたのは、どうして？　その辺のこと、少し教えていただけるかな」

「少しはよくなるきっかけがつかめたらいいかなと思ったけど……」

「よくなるというのは、何が？」

「この、家族関係のね、ガタガタだとかそういうのがね、たとえば俺が女房にワーワーワーワー言われるのが、少しでも減ればいいなと思うわね」

「つまりお父さんも、家族関係がなんとかならんかな、という気持ちが少しはあったのね？」

「うん、まあ、だからきたのかもわからんね」

「それ、心の底からそんなふうに思ってる？」。母親が半べそで父親に問う。

「思ってるって」。父親はうるさそうに答える。

「じゃあ、今まで私がいろいろ話した時に、もっと聞いてくれたらよかったじゃない」

責めるように母親は言う。セラピストは、すぐに母親を制して断じる。

「お母さん、そんなこと言うけどね、今まではお父さんの力、本当のところはそれほど必要じゃなかったんでしょう？　自分ひとりでやってこられたんだから、全部」

「でもやっぱり、協力してほしかった」。すねるように言う母親。

「お父さんが全然協力してくれなくても、結局全部できたんでしょう？　お母さんは」

セラピストがノリコに問うと、ノリコは大きくうなずく。

「ほら」。セラピストは、母親にノリコの反応を示す。

「俺が何かアドバイスしても、女房は聞く耳をもたなかった！」。父親が、大きな声でセラピストに訴える。

「だって全部できるんだから、自分で。自分でできる時は、人の言うことなんか聞かないものですよ、誰だって」。セラピストは言う。

「俺の出番なんかなかった……」。小声の父親。

「そうそう、それくらいものすごい力があったんですよ、今までのお母さんには」

セラピストが断じると、父親は小さくうなずく。すぐに母親がセラピストに訴える。

「がんばってやってましたけど、ものすごくしんどかった」。涙目である。

「そりゃあしんどかったとは思うけど、結果的には、お父さんの助けを一切借りなくても、ノリコさんの助けさえあれば、お母さんは全部ひとりでやってこれたんだ」

「結果としてはそうだったかもしれないけど、やっぱりその間に、私の中に……」

「ストレスが溜まったたね」

「積もり積もる思いがいっぱいあって」

「そうだね。それで、今回は片腕だったノリコさん自身のことが問題として浮上し、これはもう限界だと、いよいよお父さんに協力してもらわなきゃダメだと思われた。同じように、お父さんはお父さんで、心のどこかで家族関係をなんとかせねばならんという気持ちがあった。それがうまくつながって、今日こうして一緒にきていただいた。……やっとご家族のことがみえてきましたよ」

6

セラピストは母親に続けて問う。

「ところで、お母さんの母親って、どんな方？」

「私の母ですか？　母は専業主婦でしたが」

「なんでお母さんがそこまでがんばれたのか、そのルーツが知りたいんですよ。母親ゆずりなのかなって、想像したんだけど。ひょっとしたら、結婚してから強くなったの？」

「そう言われてもちょっと、思いあたる節が……。私、強いですかねえ？」

「強いですよ～。ムチャクチャ強かったんでしょ？」

セラピストはノリコに問う。

「そう」。はっきりと答えるノリコ。

「それはなんで？」。セラピストが問うと、母親は困ったように言う。

「その……先生のおっしゃる、私が強いというのが、ちょっとよくわからないんですけど……」

セラピストはあきれたような仕草とともに、ノリコに言う。

「ちょっと、あなたから教えてあげて」——①
すると、ノリコはすぐに母親と向かい合う。

「お母さん、何か問題が起きても全部自分で解決してたじゃん。お兄ちゃんの受験の時も、親戚に頭下げて受験料集めてきたし、借金も自分で返そうとしてきたし。お父さんのことを文句言いながらでも、そうやって全部自分でやってきたじゃん。友達のお家はね、もっとお父さんに頼ってる」

ノリコは声を詰まらせた。父親が横から口を挟む。

「お、俺だってがんばってる……」

ノリコはそれを無視して母親に、

「お母さん、お父さんにもっと頼ったらどうなの?」

「頼れるものなら頼りたいわよ。でも、お父さんは逃げる。だから私がせざるを得ない。休みの日だって、『ストレス発散しないとやってられん』とか言って、パチンコばっかし行っちゃう。お母さん、これでも結構言ってたのよ、ノリコの小さい時は。でもなかなかやってくれないし、あきらめるしかなかったの」

「でも、結局お母さんが全部やってしまうから、お父さんは『俺は何もせんでもいい』と思うんじゃないの?」

ノリコは父をじろっとにらんだ。父親は助けを求めるようにセラピストに視線を送る。

「い、いやあ、今までは女房ひとりで回してくれてたからねえ」

セラピストは大きくうなずく。そしてノリコに、

「いやあ、ノリコさん、すごいね。君は本当によくみてるんだねえ。感心した」

ノリコは照れくさそうに笑った。

7

セラピストは父親に問う。

「さて、どうします？『娘のことで相談にきたのに、なんで？』と思われるかもしれないけど、今回はSOSを出されているお母さんのヘルプが一番大事なように思いますよ。お母さんの限界がきたわけです。ここを家族みんなで乗り切るために、こちらに続けてきてもらうことは、できませんか？」

セラピストはノリコにも、

「ノリコさんも可能なら、お母さんを助けるために一緒にきてもらえませんか？」

「私はお父さんがきてくれるんなら、喜んでくる」。ノリコは即答し、父親を見る。

セラピストは父親に、

「お父さん、どうされますか？　今までのお父さんがどうだこうだと言うのではありませんよ。先ほどおっしゃった通り、お父さんは今まで何もしなくてよかったんです、これだけスーパー有能なお母さんがおられたのだから。でも、今はちょっとダウンしている。ノリコさんが言う通り限界で、だからSOSを出された。そしてたぶん、お父さんもどこかでそれを感じ取ったから、しぶしぶであっても、今日こうしてきていただいた。できれば引き続きお越しいただいて、お母さんに楽になってもらうため、お父さんも一肌脱いでいただけないでしょうか。お母さんが楽になることが、ご家族全体のために、一番大事なことだと思いますよ」

セラピストは母親に、

「楽になりたいでしょ？」

「なりたいです」。答える母親。

「そのために、協力してもらえないでしょうか？　一緒に」

「……女房が楽になって、ガミガミ言わないようになるなら、それが一番かもしれないね」

神妙に言う父親。

「楽になったら、ガミガミ言わなくてすむからねえ」。セラピストの言葉に、母親が答える。

「たぶんそうだと思います。私もちょっと言いすぎたかもしれないけど、体もしんどいし、何より金銭的なことになると、不安とか焦りもあったので……」

セラピストは、父親に問う。

「念のために、お父さんにお聞きします。お父さんの父親って、ひょっとして、仕事一途で、家のこととか子育てのこととか全部お母さんに任せて、俺は一切知らん、というタイプの方でした？」

「そうでした」

「やっぱりそうだったんだ。そんな男の生きざま、お好きですか?」

「好きっていうか……好きとか嫌いじゃなくて、そんなもんかな、と思ってた」

「そんなもんか、とね。すると、俺はそうじゃないといやなんだ、親父みたいな生き方しかできないんだ、ってことは、ないですね?」

「それはないけど。でも、今までずっとそれでやってきたからね、俺……」。弱々しい笑みを浮かべる父親。

「今まではね。それはOK、OK。だって、お母さんがものすごい力を発揮してくれていたんだもん。でも、これからはどう? 絶対俺は変わらんぞ、俺は自分の親父みたいな生き方でずっといくんだ、っていうわけじゃあないよね?」

「うん、それはないけどね」

「OK!」。セラピストは右手で父親の膝をしっかりと打つ。そして三人に、

「今日はこれで終わりにしますが、よろしければ、週に一度、三人でお越しいただけませんか?」

「はい」。答える母親。

「お父さんはどうだろ?」

「わかりました」

「ノリコさんもいい？」

「うん。絶対くる」

「じゃあ、よろしくお願いします。また来週、お目にかかりましょう」

家族は丁寧に礼を述べ、和やかな雰囲気のまま退室。

小論Ⅳ

「誰の問題か」というフレーム

たとえばある母親が、「長女の拒食症で困っています」などと述べる。そして、「長女が問題である」と定義づける。個人の病理に焦点を当てる医学や臨床心理学などの専門家は、この長女を「患者」と呼ぶ。仮に最終的には病名がつかなかったとしても、少なくとも彼女が「患者」であるのかどうかということを含めて、長女個人の特性が見立てられることになる。

一方、システムズアプローチでは、「個」と「個」が相互作用しているところの「全体」をみる。システムズアプローチに基づく家族療法であれば、主として家族システムを扱う。どのような問題であれ、それは特定の個人の問題ではなく、家族システムの反映であり、家族全体のあり方の問題だと考えるのである。

したがって家族療法では、特定の個人に対して「患者」という呼称を使用することはない。代わりに、「IP（Identified Patient）」という用語を用いる。これは、その人物が、「患者と認定されている人」「患者として扱われている人」「患者の役割を担っている人」であるということを意味している。すなわち、「問題」とみえるものは、家族システムの不調が特定の個人のうえに現れているに過ぎないのだという見方の意思表示なのである。ＩＰの「問題」は家族の機能不全の象徴であり、家族システムのＳＯＳ信号であると、こう表現されることもある。

家族療法はこのような観点に立っているので、ＩＰ個人を治療の対象にする必要はないと主張する。治療対象は家族システムなのだから、原則的にはＩＰの精神病理の如何によらず、家族システムを変化させるような介入を実践すればよいということである。

むろんその際に、「ＩＰが問題である」という当初のフレームに乗ったまま、家族システムを変えるべく介入していくことも可能である。たとえば第4章の母子面接や第5章の夫婦面接では、「（ＩＰであるところの）子どもの問題を解決する」というフレームをそのまま利用する形でセラピーが進められた。

しかし、本章のケースでは、「ＩＰ（娘）が問題である」という当初のフレームは、「母親が問題である（限界にきている）」というフレームへとシフトされた。むしろＩＰは母親を助けているのであり、本来セラピーを受けるべきはＩＰではなく母親であるというリフレーミングが行われたのである。

本書では紹介していないが、二回目以降の面接では、その新しいフレームに基づいた解決の構築が大きく展開していった。父親の家庭内での役割が変わり、夫婦連合が形成され、ＩＰが家族の三角関係から自由になる（世代間境界が形成される）という、家族システムの変化が生じたのである。そしてそのプロセスで、ＩＰの「非行」が現象化されることはなくなっていった。本書で初回面接だけをくわしく紹介したのは、今述べたような一連の変化が、初回面接でのリフレーミングが成功した時点でほぼ見通せたからである。

このように、現象としてのＩＰの問題は必ずしも直接的に扱われる必要はない。セラピストが変化のターゲットは家族システムであるという意識さえもっていれば、それでいいのである。システム論にしたがえば、どの道（フレーム）を通ろうが、家族システムが変化しさえすれば、現象としてのＩＰの問題はもはや存続しえなくなるのだから。

実際的なことをいえば、セラピストがどのようなリフレーミングを行うかの判断基準は、あくまで「セラピストにとってどのフレームが扱いやすいか」次第である。仮に両親が、「ＩＰが問題である」というフレームに強く固執しているなら、リフレーミングはそれほど簡単にはいかないだろう。逆に、そのフレームのままでは（家族間の口論が絶えないなど）面接状況をコントロールすることが難しいと感じたのなら、セラピストはリフレーミングを行いたくなるであろう。

ちなみに本事例で観察できた「父親が問題である」といったフレームは、まさにそのようなタイプのフレームであった。また「ＩＰの非行が問題である」というメイン・フレームも、ＩＰへのジョイニングにとって邪魔なものであった。それらのフレームが存続する限り、Ｎ循環をＰ循環に切り替えることができないとセラピストは考えたのである。しかし、「母親が限界だから、

IPと父親がそれを助けなければならない」といったフレームの中であれば、P循環を形成できるという確信がセラピストにはあった。

従前のフレームをそのまま扱うとしても、リフレーミングされたものを扱うとしても、いずれにせよセラピストには、そのフレームに即した形で家族システムを（N循環からP循環へと）変えていく、そのような手腕が求められるのである。

本書の読者は必ずしも専門家だけではなく、「一般の家族の人」もいるだろうから、今度は少し角度を変えて、そのような人向けに述べてみよう。

「全体」と「個」の一体感。このようなところに意識を向けた方法論がシステムズアプローチの本態であり、「全体としての家族」と「個人」の関係を意識すると家族療法になるが、「宇宙の本体（最高原理）」と「我の本質」の関係を意識すると宗教や哲学になる。もちろん、宗教や哲学もシステムズアプローチに含まれるなどと、大それたことをいっているわけではない。職業柄、「全体」と「個」の関係に思いを馳せていくと、どうしてもそちらの方面にも関心が向いてしまうのである。

たとえばインド哲学では、「宇宙の本態（最高原理）」をブラフマン、「我の本質」をアートマンと呼び、両者は一如である（一体である）と説く。この他にも様々な宗教で、「人間は神の子」「内なるキリスト」「一切衆生悉有仏性」などといった言い回しを用いて、個と神仏との一体感が表現されている。自己の有限性に対する哀しみや不安に対して、絶対無限のもの（宇宙や神仏）と合一することで永遠の大生命を獲得し、喜びや安心を得ることが、古今東西人間の本質的な希求なのであろう。

システム論においても宗教においても、すべての「個」は「全体」の一部分である。すなわち、「個」と「個」はその本質においてすべてつながっている。一人ひとり分離しているようにみえても、実は「根本は同じ」であると考えるのである。だからこそ、自分さえよければいいといった利己的な思いや、他者を憎み対立するような行いは、全体のあり方をゆがめ、ひいては自分自身を傷つけることになる。

たとえば、あなたの心臓（部分）と右手（部分）は、名称や姿形は違うけれども、あなたという人間（全体）の一部分であり、運命共同体である。しかし右手がその真理を知らずして「自分は自分である」と利己的に考え、何かの契機に対立した心臓めがけて手にしたナイフをひと突きするなら、全体であるあなたという人間が死ぬことになり、結果的にはその一部分であるところの右手も生きてはいられなくなる。究極のN循環だ。

同じように、学校や職場、そして家庭などにおいても、他者を傷つける者は全体を傷つけ、回り回って自己が傷つくことになる。逆に、他者を益することは全体を益するし、結果的に自分を益することにつながる。キリストは「与えよ、さらば与えられん」と言ったが、まずは相手に自分のしてほしい通りのものを与えることからスタートすることが、好ましい変化（循環）を作る近道なのである。

システムズアプローチが私たちに教えてくれる宝物は、要は一つひとつの内容（コンテンツ）ではなく、相互作用が変わることが大切だということである。「誰の問題なのか」「どちらが悪いのか」といったことについて、真実を語ることは決してできないし、それをはっきりさせることも、（法律にかかわるような場面は別にして）とくに重要ではない。どのように述べようが、それは相互作用の切り取り方次第であり、片面の真実に過ぎないのである。

しかし、当事者たちがその片面の真実にこだわっている限り、問題は堂々巡りのまま、出口のみえない状況が続くかもしれない。自分のフレームにこだわり続け、「自分が正しい」「変わるべきは相手である」と主張し続ける限り、コミュニケーションのパターンはなかなか変わらない。

しかし一方、そのような悪循環を変えることは、あなたがその気になりさえすれば、実は簡単なことである。「自分が原因である」と考え、自分から変わればいいのである。

子どもに何かの症状が現れたとしよう。その時、「子どもに問題がある」と考えるのではなく、「夫婦に問題がある」とリフレーミングしてみる。そして、「夫婦の問題は夫（あるいは妻）である自分の問題だ」という具合に、結局は「自分が一番の原因である」と考えるのが最もよいリフレーミングになる。なぜなら、自分から変わることが家族システムを変える一番の近道だからである。

この時大事なのは、本当に自分が悪いのかどうかは関係ないということだ。要は、そのようなフレームを採用することが自分の家族を変えるために一番役に立つ方法だから、とりあえずそのように考えてみるということである。

妻や夫としてのプライドなのか、母親や父親としてのメンツなのか、何にこだわっているかは知らないけれども、そのようなものはさっさと捨てて、誰かに変わってもらうためにはまず自分が変わることである。その結果、コミュニケーションの相互作用が変わり、夫が、妻が、子どもたちが、確実に変化していく。

しかし、仮に「自分が問題」とリフレーミングしたところで、さて実際のところどのように変わればいいのかわからないという人もあるだろう。そんな人は、もう一度、本書の第2章を読み返してほしい。あなたの家族や職場が変わる方法が、そこに書かれてあるのだから。繰り返す。夫であれ子どもたちであれ、他者を変えようと思うなかれ。まずは自分からである。

ディスカッション

問題の所有者をリフレーミング

東　さて、レクチャーを始めますが、ここまで勉強してきた皆さんにとっては、ひょっとするともう解説は不要かなという気もしますが。

一同　……。

東　……では空気を読んで、もうひとふんばり。

一同　(笑)

東　この面接の一番重要な読み取りポイントは、主訴であった「非行の問題」を、セラピストが「他の問題」に移行させていくプロセスですね。専門用語でいうと、「問題の脱焦点化」のプロセスです。じわりじわりと家族三人を巻き込んでリフレーミングを進める様子が、逐語録を読むことによって手に取るようにわかります。第3章の過食症の事例と同じような展開ですね。

星野　しかし、過食症のケースは個人面接でした。

東　面接の対象が個人か家族か、それはさほど重要なことではありません。もちろんリフレーミングの進行具合を複数の人に確認しながら進めなければならないので、複数面接のほうがセラピストとしては骨の折れる作業になりますけれども。

星野　今回の事例では、「娘の問題」が「母親の問題」にシフトされましたよね。

東　そうです。過食症の事例では、「過食症状」から「家族関係」にシフトしたとはいえ、「クライエント自身の問題」であることに変わりはなかった。しかしこのケースでは「娘の問題」が「母親の問題」に、つまり問題の所有者すら置き換えられたのがミソかな。

星野　いっそう「新しい土俵」といった感じですね。

東　そうですね。セラピストとしては、「娘の問題」のままでは、なかば無理やり連れてこられているノリコさんとは協調関係がもちにくそうだったし、夫婦間のコミュニケーションも図りにくい感じがした。それで、何か他の話題にもっていきたかったのです。

結局、「母親の疲れ」がクローズアップされることになった。これだと、比較的穏やかに会話が進みそうだと思えました。家族にも自然な流れだったようで、唐突感がなかった。「お母さんがお疲れだから、それをなんとかしないといけない。それは誰の仕事？　そりゃあ父親だろ」、会話の流れの中で、こういうリフレーミングに落とし込まれていったわけですね。

藤本　ノリコさん、最初は〝連れてこられた感〟が漂っていましたが、最後は「絶対くる！」って大きく変わりましたものね。

東　そりゃあ、張り切りますって。当初の悪役が五〇分で主役に化けた、そんな感じですものねえ。しかしね、本当のところはとっくに彼女が主役であったのですよ。だって、彼女は「問題を起こすことによって、両親をここに引っ張ってきた」んですから。初回の家族面接で、セラピストが心がけるべきポイントは何でしたか？

岡田　すでによい変化が起きていて、そのプロセスの途中にセラピストが遭遇したのだと考えること！

東　そうそう、よく言えました。この家族では、娘の問題を起爆剤にしてよい変化が始まっている。そう考えると、家族が三人で面接にきたことに意味深いものがみえてきます。

吉田　でも、父親はよくきましたよねえ。失礼だけど、最初は、「わしゃ知らん」というタイプの父親に思えました。

東　おそらく、父親もピンチを感じていたのでしょう、そのうち母親や娘に見捨てられるんじゃないかって。だから家族で面接に行くというのは、父親にとっても渡りに船だったのかもしれません。本当に『男一匹ガキ大将』みたいな父親だったら、「わしゃ、そんなところには行かん！」となっているはず、いや、とっくに離婚しているかもね。家族から、「ひとりで生きていきなはれ」って見捨てられ。

でも、この父親にそんな覚悟はない。だから面接の後半では、家族でまとまる展開が生じてきたのでしょう。当初はちょっとはすに構えていた父親が、最後のほうはわりと従順な感じになりましたからね。もちろん、セラピストへの警戒心がとれたことも影響しているのだろうけど、父親の立場が尊重される流れだし、家族の顔色を見て、「この流れにしたがっておかないとまずいかも」という思いもあったかもしれない。

で、まとめ役はやっぱり娘さん。面接にくるまでは「非行の問題」で家族をまとめようとしていたノリコさんが、面接を経て、その「問題」を使わずに家族をまとめる仕事に就いた。裏から表に出たという感じです。しかし裏でも表でも、実質上の役割は何も変わっていません。

星野　ペアレンタル・チャイルド（親的子ども）みたいな感じでしょうか？

東　おぉっ、よく勉強しているねえ。そうです、そうです。

私の妄想をいえば、ノリコさんは元来いい子・しっかり者として母親を支えてきた。だからこそ、父親はさぼってこられた。それでバランスのとれていた家族だった。しかしこの状態は、構造的にいうと世代間境界が曖昧です。このままではノリコさんの家庭からの巣立ち・自立がおぼつかない。

そんな折りに生じた、ノリコさんの問題行動の数々。これは自立のための儀式、すなわちペアレンタル・チャイルドとして母親をサポートする役割から卒業するための儀式のようなものであり、同時にその儀式を通して父親を本来のポジションに戻す意味もあった。……とまあ、これが私の妄想です。

娘に動いてもらう

星野　要所要所でセラピストは娘を「使っている」という感じを受けましたが、こういったこともやはり、彼女のペアレンタル・チャイルドとしての特性を活かしているということでしょうか？　たとえば、母親からの質問にセラピスト自身が答えず、代わりに娘に振ってみたり。

東　母親が「自分が強いというのがわかりません」ときた時、「ちょっと、あなたから説明してあげて」と娘に振ったところだね〔①〕。実に素晴らしい指摘ですねぇ。

　これはまさに、ノリコさんのペアレンタル・チャイルドとしての特性の利用といえます。言い換えれば、「家族の変化」に関しては娘が主役であるから、セラピストもそのポジションを尊重しているということの表明であり、また、その推進でもあるということ。それからもうひとつ、娘と母親なら対立になりにくいから、ということもあります。セラピストが母親に何か言っても、平行線、あるいは議論になるかもしれない。

吉田　母親と娘の関係を読み取ることが大事なんですね。

東　面接中、ふたりは大の仲良しです。ふたりで相づちを打ち合ったりしていた。今は「非行少女」であっても、娘と母親は本来は理解し合える関係。ペアレンタル・チャイルドなんだもん。だから、娘に母親の説得を任せたのです。

中村　先生は、直接自分が関わることで、母親との関係をまずくしたくなかった。

東　そう、母親の敵になりたくなかった。それでなくても、ここまでは母親にとっては思わぬ展開だよね。「娘は非行。お父さんはパチンコ狂い」、それなのに「お母さんの疲れが問題、お母さんがしっかりしないといかんね」というフレームになってきている。母親としては「コンチクショー」だね（笑）。だから、セラピストとの間に衝突が起きやすい状況です。

　しかし、娘から言われると「仕方がない」と思える。そこで、ノリコさんに動いてもらったわけです。するとやはり、納得してくれたんですね、母親は。同じことでも、セラピストに言われたら「クソ～」となっていたでしょう。

岡田　「違います！」って言う。

東　そう、「わかってもらえない」という思いでいっぱいになる。

　でもね、その前に、まずは娘とセラピストが相づちを打ち合ってないと、そういうことはできないんですよ。セラピストと娘が敵対した状態では、母親への説明を依頼しても「何を説明するんですか?」なんて、つっけんどんに返されるのがオチでしょう。でもこの場合は、ノリコさんはすぐに説明してくれたよね。なぜかというと、セラピストとノリコさんがすでに意気投合していたからです。

クライエントは困っている人

中村　しかしそれにしても、母親はきっとつらいだろうなって思えたのですけど。

東　そのような思いはとても大事。大事だけれども、それにとらわれすぎてはいけません。同情は、軽い軽蔑を内包している場合が多いですからねえ。

……「軽蔑」というと言葉がきつかったかな。つまり、同情している側は同情されている側を「弱い人」「だめな人」などとみている場合があるということ。「つらいだろうけれどもなんとかできる人」という信頼が前提にあってこそ真の同情であり、そうであれば同情に足を引っ張られることはない。足を引っ張られるとは、同情心から相手の代わりに何かをしてあげることや、何かを免除してあげるようなこと。こうしたことが、軽い軽蔑心の現れだということです。

それになんといっても、この場合セラピーを受けることに一番適しているのは、母親ですからねえ。

中村　モチベーションが一番高い。

東　そう。セラピーの対象は「困らせている人」ではなくて、「困っている人」です。このケースでは娘でも父親でもなく、母親ですね。

困っている人には、困っているだけの理由があります。それは決して環境ではなく、その人の内面、つまり、自分の心の問題なのですね。いろんなフレームに縛られている。それをほぐして、楽にしてあげないといけない。その結果として、周囲や環境も変わってくるわけです。しかし、そのプロセスでは、やはりどうしても自分と向き合う作業が必要になる。解決へのモチベーションが高ければ、そのしんどさにも立ち向かえるものです。

星野 母親には、そのしんどさを引き受ける力があるはずだと。

東 そうです。もちろん、過剰な期待は禁物ですよ。その人の状態によっては、一切のしんどさからいったん解放してあげることを優先しなければならない場合もあります。カウンセリングで自分と向き合うなんて先のまた先、そういう場合も当然ありますから。

中村 スクール・カウンセリングの現場で、担任の先生が「うちの生徒のことで」とか「生徒の母親のことで」と言って相談にくることがあるのですが、その場合、クライエントはその担任の先生になるということでしょうか？

東 はい。その場合、クライエントは生徒でも母親でもなく、担任の先生です。先生が「困っている」わけで、その人が楽になればいいのです。例外はあるけれど、原則として、そのような場合に生徒や母親を面接に呼ぶ必要はまったくない。その教師に会い、その教師のフレームと向き合い、何がしかのリフーミングを行うことです。

中村 そもそも、生徒や母親は別に困っていないかもしれないですよね。

東 そうです。その人たちも何かに困っているようならきてもらえばいい。しかし先生が困っているだけなら、その先生がクライエントです。
この事例の家族も、もしも母親がひとりできていたなら、母親とだけ面接を継続するのが筋ですね。母親の話を聞いて、「じゃあ、次回は娘さんもぜひ」とか「お父さんにも一緒にきてもらってください」とか、そんな提案、原則的には必要なし。母親だけくれば十分なのです。
ところが、ときどき耳にするのですが、たとえば子どものことでカウンセリングに出向いた母親に対して、「本人（子ども）がこないとどうしようもない」などと言って母親を相手にしないようなことがあるらしいのですね。嘘こけ、本人（母親）はここにおるやろうが！

一同　（笑）

東　もちろん、すべては文脈次第ですけどもね。たとえば、「子ども本人がこないとどうしようもない」といったリフレーミングが、母親の今までにない動きを作っていくはずだという読みがセラピスト側にあるのなら話は別ですよ。それなら立派な介入です。しかし、そのような展開を狙ったものではなく、本気で「子どもがこないとどうしようもない」と思っているようだとちょっと問題です。

藤本　「子どもがこないと、私にはどうしようもないです」ならまだ許せる（笑）。

東　「ぜひシステムズアプローチのお勉強をなさってください」と、笑って許す。普及活動です。

一同　（笑）

解決の形はいろいろある

星野　子どもの不登校の相談で、母親だけがやってきた場合、先生ならどのように対応されますか？

東　何でも同じですよ。母親のフレームを見立てて、それをリフレーミングする。それだけです。後の展開はケースバイケース。

吉田　そのうち再登校するかもしれないし、不登校のままでも「ま、いいか」と思えるようになるかもしれないし。

藤本　人生、いろいろの選択があっていい。

東　そうそう、目に見える現象としての解決の形はいろいろあっていい。こうすべき、ああすべきというところから離れて、「まあ、なんとかなるよ」と思えたら、だいたい次の道が開けるものです。

その意味で、うちの親父がえらかったと思えるのはね、何があっても「世はなるよう（世の中のことはなるようにしかならない）」って達観していたのね。おふくろは、「覇気がない」と親父の物言いを嫌っていましたけど（笑）。

要するに、目の前にある現象にしがみつかないことが大切だろうと思う。「なんとかせにゃならん」って思っている時が、問題を一番つかんでいる時だね。つかんでいるから、その問題がいつまでも姿を消さない。問題をふわっと放せば、それは飛んでいって、目の前にあるのはただただ無限の可能性。禅の言葉で「握一点、開無限」というやつです。

中村　出ました？　宗教話。

東　うん。ちょっと（笑）。

藤本　でもほんと、「まいっか、このままで」なんて思った瞬間に、ふっと楽になるから不思議ですよね。

中村　実際、問題から解放されると、視野が広がるなって思いますね。今までと違った行動がとれるようになる。

岡田　縛りのない人は悩まない？

東　縛りがないと悩みようがない。でも、そんな人、現実的にはいないよね。みんな自他からの、何らかの縛りの中で生きている。その縛りの中で悩む。苦しむ。そこから、どうにかして自由になろうともがいているわけでしょう？　そうなると、さらに宗教話になるわけだけど……。

中村　待ってました！

東　解脱とか、悟りとか、そういう話になっていくんですねえ、これが。編集者がいやがるといけないからこの辺でやめておきますけど（笑）、究極はそういうことです。

吉田　悩んでいる人には縛りがある。で、それを解いてあげるのが心理療法。

東　それは心理療法のひとつの大原則でしょうねえ。皆さんだって、母親面接では、結局は母親を楽にしてあげたいわけでしょう？　「あれが悪かった、これが悪かった」「こうなったらどうしよう。ああなったらどうしよう」、そういった持ち越し苦労や取り越し苦労がなくなるように、いろいろな固いフレームを緩めていく。

吉田　緩めている……つもり。

東　つもり？

吉田　いいえ、緩めています！……少なくとも、そうしたいと思ってます（笑）。

「必ずできる」と信じよう

東　さあ、全四回の連続レクチャーもいよいよエンディングですね。皆さん、まとめの感想などをどうぞ。

星野　レクチャーの中で先生の本音やいろいろな深い考えまで聞けて、すごく楽しかったです。

吉田　それが、私たちの身につくかどうかはまた別の話って感じだけど（笑）。

東　私の真似をする必要があるとは限りませんけどね。まあ、そのうち君たち流の形ができるから。

最近、よく学生さんにしているアドバイスはね、京都駅から大学まで、「天才セラピスト、歩くよ歩く、イチニ、イチニ」って号令掛けながら歩きなさいって。

一同（笑）

東　これ、すごく大事なことなんだよ～。多くの人はばかばかしいと思うかもしれないけどね。みんな、「自分はうまく心理面接ができるだろうか」「クライエントさんの役に立てるだろうか」って心配している。自信がなくなることもあるし、不安でいっぱいのこともある。でも、そのように思っていると本当にできない。思いが現実を作ってしまう。だから、「自分はできる」と心で強く思ってほしい。日本一の心理臨床家になると確信していてほしい。臨床がうまくなるコツの第一はこれだからね。しっかり覚えておきなさい。

藤本　まずは自分が強くそう思わないと、そうなりようがないですものね。

中村　社会心理学でも、「自己成就予言」というのがありますね。

星野　子どもの障害児教育も一緒ですね。「〇〇は、天才、奇跡の子。問題はないと思いましょう」というところから始まるんです。

東　同じですね。最初は口先だけでもいいんだよ、嘘でも繰り返しているうちに本当のことになってしまうから。

でも下手をすると、それは天狗になることと紙一重でもあります。ちょっとうまくいきだすと、「自分が一番、自分の言うことが正しい！」となる。すると周囲との不調和が生じてきて、結局のところスランプに陥ってしまう。

このような自分の慢心をどう処理するかというのは、私にとっても長年の大きなテーマでした。そこのところをホイっと乗り切れたのは、実は仏教のおかげ。要するに、「自分は大きな全体の一部分であり、その中で生かされている」というリフレーミングが、自然と自分の中に生じて、定着したのですね。これと似たようなフレームをもっているシステム論・システムズアプローチに長年親しんできたおかげだと思いますが、とにかく、これで慢心が起きなくなった。起きそうになっても、「全体に生かされている」ということを思うとすぐに消えてしまいます。

皆さんも、すぐにでも実践されるといいですよ。面接でひらめくアイデアはすべて神様からの贈り物と考えて、必ずお礼を述べる。希代の天才打者・金本知憲も引退セレモニーで「野球の神様、ありがとうございました」と言っていましたが、これぞP循環ですね。そうすると、ますますたくさんのインスピレーションが上のほうから降りてきますから。

藤本 私にとっても、大変楽しいシリーズでした。どのケースも、家族がいい方向に向かう過程にあるという視点をもって、そこに向かってセラピストも一緒に歩むということが共通したテーマなのかなと、そんなふうに感じました。

東 その通りです。家族やクライエントはつねにいい方向に向かっている、そのことをはっきりと現象化させることが私たちの仕事。だから、セラピスト自身が問題をつかまない。認識さえしない。理想論ではあるけれども、そうありたいものです。

金剛経に「山、山にあらず。これを山という」という言葉がありますが、これを拝借して「問題、問題にあらず。これを問題という」。理想の境地ですねえ。ほれぼれ。

一同 （笑）

星野 今までの事例、全部そういう感じですね。

東 そもそも「問題」の存在というのは、「何か不調和なことが生じている」ことの象徴だと思うのですね。とすると、それはクライエントにとって、「何か成長すべきことがあるというお知らせ」であるともいえるわけです。それはクライエント個人の内面のことかもしれないし、家族関係のことかもしれない。実際、そういったものは、誰でも何かしら思い当たることがあるものです。

しかしだからといって、「それがあなたの問題なのだ」「だからダメなのだ」と責めるような展開になってしまったら、せっかく「問題」が出てきてくれたかいがない。「問題」を、よりよき現象を人生の中に現していけるようになるための、ひとつの産みの苦しみのようなものだと考えることです。そうすると、治療とは単に「問題」を取り除けばいいということではなくなる。やはり、成長という観点が欠かせなくなる。セラピストがその観点をしっかりともつと、クライエントやその家族の成長のストーリーが必ずみえてくるはずです。

だからこそ、どのような症状・問題であれ、クライエントであれ、家族であれ、決して否定的にとらえるのではなく、肯定的にとらえたい。すべてはよき発展の途上であるというところに波長を合わせて、そいつをグーンと促進させていく。そのような意識をセラピストがもつことが重要です。

中村　僕も、まだまだ数少ない経験ですけど、人の成長の過程とお付き合いできることは、最高の楽しみというか、幸福というか。臨床心理士になって本当によかったなと思います。

東　はい、すばらしい。ではこれで、連続レクチャーを終わりにしましょう！　ありがとうございました。

一同　ありがとうございました！（拍手）

あとがき

本を書いている私を見ると、家内はいつも「男版・犬のオシッコ」と決めつける。つまり、散歩中の犬が自分の存在を他の犬に誇示するため電信柱にオシッコをひっかけるように、男は自分の名前とか社会的な立ち位置を他者に誇示するために本を書くのだというのである。いわば男のマーキング行動。社会に忘れられないための必死の姿だと家内は笑う。

たしかに、かつてはそのような意味合いもあったかもしれない。しかし、今は決してそれだけでもない。追加すべきはふたつある。

ひとつは、この約一〇年の大学院教育の経験で、若い人を育てることを大変面白く思うようになったことである。優秀な若い人を一〇人ほど育てれば、自分が一生のうちに援助できるクライエントの数はおよそ一〇倍にふくれあがったと考えることができる。このような厚かましい思いが教育への傾倒を促す。本を書くというのは、その展開のひとつである。

もうひとつは、本そのものがセラピーになると発見したことである。これは、前著『セラピスト誕生』を学部生の教科書に使った際の経験であるが、私にとっては忘れられない出来事がいくつもあった。たとえば、ある日の学食にて、学生たちが仲間内で不穏・不安・陰うつな空気に包まれた時、誰かが「P循環！」と一言発すると、たちどころにその場のいやなものが消え去り、学生たちに笑顔がみられるようになったのである。学生に問うと、P循環を習った学生の内々ではこれが効くと笑う。

次のような報告もあった。その学生の両親は夫婦喧嘩が絶えなかったそうなのだが、両親に『セラピスト誕生』を読ませて以来、夫婦喧嘩が始まりそうになると家族の誰からともなく「P循環！」と一言発せられるようになり、喧嘩に至らなくなったというのである。その学生は、本のおかげで家族全体が優しくなったようだと喜んでくれたのだが、その時の私は「ほんまかいな」といささか驚いたものである。『セラピスト誕生』は決して一般向けの本ではないのだが、しかしきっと、「読む薬」とでもいえるような何らかの成分が含まれているのであろうと、今は考えている。

だとしたら、同じような思いのこもった本をさらに書けば、読者が専門家であれ学生であれその家族であれ、ひょっとすると読者の数だけいいことを引き起こせる可能性があるのではないかと、またしても厚かましい思いが胸をよぎったのである。だからこの本を書いた。教育にもなりセラピーにもなる。さて、そのような効果が得られたかどうか、今は、読者一人ひとりに会って回りたい心持ちである。

なお、システムズアプローチをさらに深く学びたい人には、遊佐安一郎著『家族療法入門―システムズ・アプローチの理論と実際』（星和書店）と、吉川悟著『家族療法―システムズアプローチの〈ものの見方〉』（ミネルヴァ書房）の一読を強くお勧めしたい。ただし大変残念なことに、後者は現在絶版となっている。古書店で見かけたら、ぜひ入手されるとよい。また、統合失調症の治療にシステムズアプローチがどのように役立つか、という視点で書かれた実践的な本として、野坂達志著『事例で学ぶ統合失調症援助のコツ』（日本評論社）もお勧めしたい。

さらに、私のナマ面接を見てみたいという人は、遠見書房が私の行った面接をノーカットでDVDにし、逐語録や解説をつけて、何本かシリーズで出している（『DVDでわかる家族面接のコツ1夫婦面接編』、以下続刊）ので、そちらにあたってみられるのもよいと思う。クライエントとどのようにコミュニケーションを進めるのか、紙面では決して味わえない趣もあり、きっと参考になるだろう。

最後になったが、本書の誕生に際して大変お世話になった方々にお礼を申し上げたい。

まず、ディスカッションに参加してくれた五名の東ゼミ・大学院生（元大学院生）。彼・彼女たちからの刺激に対する私の反応こそが本書の核となっている。私単独の思考回路ではなかなか書けそうもないことまで引き出してくれた。随所に「宗教的な」話題が出てくるが、そうしたことも臨機応変なディスカッションだからこそ自然と出てきたものであり、ひとり机に向かっていては、本音では主張したいと願っていても、おそらくは筆を進めるのをためらう類いのものではなかったかと思う。

　また、そのメンバーのひとりであった狩野真理さんは、六時間超のディスカッションのテープ起こしを驚くほど短期間で仕上げてくれた。彼女の献身的な協力がなければ、どうにも成り立ちようのない本書であった。お礼の言葉をいくら重ねたところで私の気持ちを十全に伝えることはできない。

　日本評論社の木谷陽平、植松由記両氏には、本書の企画の段階から大変お世話になった。とくに木谷氏にはあれこれよきアイデアをいただいた。また、大学院生たちとのディスカッションの約三ヵ月前に、氏とワンデイ・ディスカッションを行ったのだが、それこそが本書の原型であった。木谷くん、本当にありがとう。

二〇一三年一月

東　豊

前に生まれん者は後を導き、後に生まれん者は、前を訪え。
連続無窮にして、願わくは休止せざらしめんと欲す。
（教行信証・化身土巻）

東　豊（ひがし・ゆたか）

臨床心理士、公認心理師、博士（医学）
専門はシステムズアプローチ（家族療法など）

1956年　滋賀県生まれ
1979年　関西学院大学文学部心理学科卒業、心理臨床家となる
1988年　小郡まきはら病院にて心理・社会部部長
1992年　九州大学医学部心療内科技官
1997年　鳥取大学医学部精神神経科助手
1998年　同医局長
2000年　神戸松蔭女子学院大学人間科学部心理学科教授
2012年〜　龍谷大学文学部臨床心理学科教授

●主な著書
『セラピスト入門』『セラピストの技法』『セラピスト誕生』『家族療法の秘訣』（いずれも日本評論社）
『DVDでわかる家族面接のコツ1夫婦面接編』
『DVDでわかる家族面接のコツ2家族合同面接編』（いずれも遠見書房）
『システムズアプローチによる家族療法のすすめ方』（共著、ミネルヴァ書房）
『心理療法テクニックのススメ』（共著、金子書房）

リフレーミングの秘訣《ひけつ》——東《ひがし》ゼミで学《まな》ぶ家族面接《かぞくめんせつ》のエッセンス

2013年3月15日　第1版第1刷発行
2019年10月25日　第1版第5刷発行

著者　東　豊
発行所　株式会社日本評論社
〒170-8474　東京都豊島区南大塚3-12-4
電話03-3987-8621（販売）　-8598（編集）　振替00100-3-16
印刷所　港北出版印刷株式会社
製本所　株式会社難波製本
装丁　大村麻紀子

ISBN978-4-535-56315-5　Printed in Japan